新潮文庫

東京奇譚集

村上春樹著

新潮社版

8325

目次

偶然の旅人　7
ハナレイ・ベイ　51
どこであれそれが見つかりそうな場所で　95
日々移動する腎臓のかたちをした石　139
品川猿　181

東京奇譚集

偶然の旅人

僕＝村上はこの文章の筆者である。この物語はおおむね三人称で語られるのだが、語り手が冒頭に顔を見せることになった。昔風の芝居みたいに、カーテンの前に立って前口上を済ませ、お辞儀をして引き下がる。わずかな時間のことなので、我慢しておつきあいいただければと思う。

どうして僕がここに顔を出したかというと、過去に僕の身に起こったいくつかの「不思議な出来事」について、じかに語っておいた方が良いだろうと思ったからだ。実を言うと、そういった種類の出来事が僕の人生にはしばしば起こった。あるものは意味を持つ出来事であり、人生のあり方に多少なりとも変更をもたらすことになった。またあるものはとるに足りない些細《ささい》な出来事であり、それによって人生がとくに影響を受けるということはなかった——たぶんなかったと思う。

しかし僕がその手の体験談を座談の場で持ち出しても、手応《てごた》えはあまり芳《かんば》しいものではない。おおかたの場合、「ふうん、そんなこともあるんですね」あたりの生ぬるい感想で、場が閉じてしまう。それをきっかけに会話が盛り上がるわけでもない。「私にも似た体験がありました」という具合に話題が発展してもいかない。まるで誤った水路に導かれた用水のように、僕の持ち出した話題は名も知れぬ砂地に吸い込まれてしまう。短い沈黙がある。それからほかの誰かがぜんぜん違う話題を持ち出す。

話し方に何か問題があるのかもしれない、と思った。それで雑誌のエッセイに同じようなことを書いてみた。文章にすれば人はもう少し熱心に耳を傾けてくれるかもしれない。でも僕が書いたことはほとんど誰にも信じてもらえなかったみたいだった。「あれ、どうせ作り話でしょう」と言われたことも幾度かあった。どうやら小説家だからというだけで、僕が口にする（書き記す）話はみんな多かれ少なかれ「作り話」であると見なされてしまうらしい。僕はたしかにフィクションの中ではかなり大胆な作り話をする（なにしろそれがフィクションの役目だから）。けれどそういう仕事をしていないときには、わざわざ意味のない作り話はしない。

というわけでこの場所を借りて、いわば物語の前置きとして、これまでに体験した不思議な出来事について手短に語ってみたい。とるに足りない、些細な方の体験だけを取り上げることにする。人生を変えた不思議な出来事について語り始めたら、紙数の大半を使い切ってしまいそうだから。

1993年から1995年にかけて、僕はマサチューセッツ州ケンブリッジに住んでいた。「ライター・イン・レジデンス」のような資格で大学に属し、『ねじまき鳥クロニクル』というタイトルの長い小説を書いていたのだ。ケンブリッジのチャールズ・スクエアには「レガッタ・バー」というジャズ・クラブがあり、ここで数多くのライブ演奏を聴いた。適度な大きさの、リラックスしたジャズ・クラブだ。名のあるミュージシャンがよく出演するし、料金もそんなに高くない。

あるとき、ピアニストのトミー・フラナガンの率いるトリオがそこに出演した。妻はその夜何か用事があったので、一人で聴きに行った。トミー・フラナガン氏は個人的にもっとも愛好してきたジャズ・ピアニストの一人である。多くの場合サイドマンとして、温かく深みのある、心憎いばかりに安定した演奏を聴かせてくれる。

シングル・トーンがこの上なく美しい。ステージのすぐ近くのテーブルに陣取って、カリフォルニア・メルローのグラスを傾けながら、彼のステージを楽しんだ。しかし個人的な感想を正直に述べさせていただけるなら、その夜の彼の演奏はそれほどホットなものではなかった。体調がすぐれなかったのかもしれない。夜もまだ早いので、気分がもうひとつ乗らなかったのかもしれない。決して悪い演奏ではないのだが、我々の心を別の場所に送り届けてくれるような何かがそこには不足していた。マジカルなきらめきが見あたらなかったとでも言えばいいのだろうか。「本来はこんなものじゃないはずだ。きっとそのうちに調子が出てくるだろう」と期待しながら、演奏を聴いていた。

　しかし時間が経過しても、思うように調子は上がらなかった。ステージが終わりに近づくにつれ、「このままで終わってほしくはないな」という、焦《あせ》りに近い気持ちが強くなっていった。この夜の彼の演奏を記憶するためのよすがのようなものが、僕はほしかった。このままでは生ぬるい印象だけがあとに残ってしまうことになる。あるいはほとんど何も残らないかもしれない。そしてトミー・フラナガンの演奏をライブで聴く機会は、この先二度とないかもしれないのだ（実際になかった）。僕はそのときふとこう考えた。「もし今、トミー・フラナガンに二曲リクエストする権利が自分に与えられたとしたら、どんな曲を選ぶだろう?」と。しばらく思い巡らせた末に、選ばれたのは『バルバドス』と『スター・クロスト・ラヴァーズ』の二曲だった。

前者はチャーリー・パーカーの曲、後者はデューク・エリントンの曲。ジャズに詳しくない方のために、いちおう説明しておきたいのだが、どちらもとくにポピュラーな曲ではない。演奏される機会はあまり多くない。前者はたまに耳にすることはあるが、チャーリー・パーカーの残した作品の中ではむしろ地味な方だし、後者にいたっては「そんなもの、聴いたこともない」という人が世間の大半を占めるのではないだろうか。要するに、僕がここであなたに伝えたいのは、それは相当「渋い」選曲だったということである。

架空のリクエスト曲としてこの「渋い」二曲を選んだのには、もちろんそれなりの理由があった。トミー・フラナガンは過去に、その二曲の印象的な演奏の録音を残している。前者はJ・J・ジョンソンのバンドのピアニストとして『Dial J.J.5』(1957年録音)というアルバムに、後者はペパー・アダムズ=ズート・シムズ双頭クインテットの一員として『Encounter!』（１９６８年録音）というアルバムに収められている。トミー・フラナガンはその長いキャリアの中で、サイドマンとして数え切れない程多くの曲を演奏、録音しているが、僕はとりわけその二曲における彼の、短くはあるが知的でクリスプなソロが好きで、長年にわたって愛聴してきた。だからその二曲が今、目の前で実際に聴けたら、言うことないんだけどな、と思ったわけだ。彼がステージを降りて、僕のテーブルまでまっすぐ来て「やあ、君、さっきから見ていると、何か聴きたい曲がありそうじゃないか。よかったら二曲ほどタイトルをあげてみてくれ」と言ってくれないかなと考えながら、じっと彼の姿を見ていた。もちろんそれが見込みのない妄想であることは承知の上で。

しかしフラナガン氏はステージの最後に、何も言わず、こちらをちらりと見ることもなく、その二曲を続けて演奏してくれたのだ！　最初にバラード『スター・クロスト・ラヴァーズ』を、それからアップテンポの『バルバドス』を。僕はワイン・グラスを手にしたまま、あらゆる言葉を失った。ジャズ・ファンならわかっていただけると思うが、星の数ほどあるジャズ曲の中から、ステージ最後にこの二曲が続けて取り上げられる確率なんて、まさに天文学的なものであるはずだ。そして

──これがこの話の大きなポイントなのだが──それは実にチャーミングな素晴らしい演奏だった。

二つ目の出来事もだいたい同じ時期に起こった。これもやはりジャズがらみだ。ある日の午後、バークレー音楽院の近くにある中古レコード店でレコードを探していた。古いLPの並んだ棚を漁《あさ》るのは、僕の数少ない生き甲斐《がい》のひとつである。その日はペパー・アダムズの『10 to 4 at the 5 Spot』というリヴァーサイドの古いLPレコードを見つけた。トランペットのドナルド・バードを含むペパー・アダムズのホットなクインテットが、ニューヨークのジャズ・クラブ「ファイヴ・スポット」に出演したときのライブ盤である。10 to 4というのは午前「四時十分前」のことだ。つまり彼らはそのクラブで熱くなって、明け方まで演奏していたのだ。オリジナル盤で、盤質は新品同様だった。値段は7ドルか8ドルだったと思う。僕は日本盤でこのアルバムを持っていたが、長く聴き込んでいるから疵《きず》もついているし、こんな値段で盤質の良いオリジナル盤が買えるなんて、大げさに言えば「軽度の奇跡」に近いことである。幸福な気持ちでそのレコードを買って、店を出ようとしたとき、すれちがいに入ってきた若い男にたまたま声をかけられた。

「Hey, you have the time?（今何時？）」

僕は腕時計に目をやり、機械的に答えた。「Yeah, it's 10 to 4」

そう答えたあとで、そこにある偶然の一致に気づいて息を呑《の》んだ。やれやれ、僕のまわりでいったい何が持ち上がっているのだろう？ ジャズの神様——なんてものがボストンの上空にいればの話だが——が僕に向かって、片目をつぶって微笑《ほほえ》みかけているのだろうか？ よう、楽しんでいるかい（Yo, you dig it?）、と。

どちらのケースも、まったく内容的にはとるに足りない出来事である。それが起こったことによって、人生の流れに変化がもたらされたわけでもない。僕としてはただ、ある種の不思議さに打たれるだけだ。こういうことが実際に起こるんだ、と。

実のところ僕はオカルト的な事象には関心をほとんど持たない人間である。占いに心を惹《ひ》かれたこともない。わざわざ占い師に手相を見てもらいに行くくらいなら、自分の頭をしぼってなんとか問題を解決しようと思う。決して立派な頭ではないのだが、それでもその方が話が早いような気がする。超能力についても無関心だ。輪《りん》廻《ね》にも、霊魂にも、虫の知らせにも、テレパシーにも、世界の終末にも正直言って興味はない。まったく信じないというのではない。その手のことがあったってべつにかまわないとさえ思っている。ただ単に個人的な興味が持てないというだけだ。しかしそれにもかかわらず、少なからざる数の不可思議な現象が、僕のささやかな人生のところどころに彩《いろど》りを添えることになる。

それについて僕は何か積極的な分析をするか？　しない。ただそれらの出来事をとりあえずあるがままに受け入れて、あとはごく普通に生きているだけだ。ただぼんやり、「そういうこともあるんだ」とか「ジャズの神様みたいなのがいるのかもしれないな」みたいなことを思って。

これから書くのは、ある知人が個人的に語ってくれた物語だ。僕が何かのおりに、先にあげた二つのエピソードを話して聞かせたとき、彼はしばらく真剣な目をして考え込んでから、「実を言うと、それにいくらか近い体験をしたことがあります」と言った。「偶然に導かれた体験です。ものすごく不思議というほどのことでもありませんが、どうしてそんなことが起り得るのか、うまい説明は思いつきません。

いずれにせよ、偶然の符合がいくつかかさなり、その結果思いも寄らない場所に導かれることになりました」

個人が特定されることを避けるために、いくつかの事実に変更を加えた。しかしそれ以外は、彼が物語ったままになっている。


彼はピアノの調律師をしている。住まいは東京の西、多摩川の近くにある。41歳でゲイである。自分がゲイである事実をとくに隠してはいない。三歳年下のボーイフレンドがいるが、彼は不動産関係の職についており、仕事の都合上カミングアウトができない。だから二人は別々に暮らしている。調律師ではあるけれど、音楽大学のピアノ科を出ているし、ピアノの腕も捨てたものではない。ドビッシーやラヴェルやエリック・サティーといったフランス音楽をなかなか上手に、味わい深く弾く。彼がいちばん愛好しているのはフランシス・プーランクの曲だ。

「プーランクはゲイでした。そして自分がゲイであることを、世間に隠そうとはしませんでした」と彼はあるとき言った。「当時としてはそれは、なかなかできないことだったんです。彼はまたこんな風に言っています。『私の音楽は、私がホモ・

セクシュアルであることを抜きにしては成立しない』と。彼の言わんとするところはよくわかります。つまりプーランクは、自分の音楽に対して誠実であろうとすれば、自分がホモ・セクシュアルであることに対しても、同じように誠実でなくてはならなかったのです。音楽とはそういうものですし、生き方とはそういうものです」

僕もプーランクの音楽は昔から好きだ。だから彼がうちの古いピアノを調律に来たときには、仕事が終わったあとで、プーランクの小品を何曲か演奏してもらうことがある。『フランス組曲』とか『パストラル』とか。

自分がゲイであるという事実を彼が「発見した」のは、音楽大学に入ってからだった。その可能性について考慮したことは、それまで一度もなかったということだ。ハンサムだったし、育ちも良く、物腰も穏やかだったから、高校時代にはまわりの女の子たちに人気があった。きまった恋人はいなかったが、何度かデートもした。彼女たちと出歩くことを彼は愉《たの》しんだ。彼女たちの髪型をすぐそばで眺めたり、首筋の匂《にお》いを嗅《か》いだり、小さな手を握ったりするのは好きだった。しかし性的な体験は持たなかった。何度目かのデートになると、相手が自分に何らかの行動を期待しているらしいとわかった。でも彼はあえてその一歩を踏み出さなかった。そうしなくてはならない必然性が、自分の中に感じられなかったからだ。まわりの男の友だちはみんな例外なく、性的衝動という抑制しがたいデーモンを抱えていて、それを持て余したり、あるいは積極的に発散したりしていた。しかし彼の中にはそういう強い衝動は見あたらなかった。たぶん自分はおくてなのだろうと彼は考えた。そして正しい相手にまだ巡り合っていないのだろう。

大学に入って、同じ学年の打楽器科の女の子とつきあうようになった。話も合ったし、二人でいると親密な気持ちになれた。知り合って間もなく、彼女の部屋でセックスをした。彼女の方が彼を誘ったのだ。酒もいくらか入っていた。とくに支障もなくセックスを終えたのだが、それはみんなが言うほど気持ちの良いものでも、スリリングなものでもなかった。どちらかといえば、粗暴でグロテスクなものであるように思えた。性的に興奮したときに女性が身体《からだ》ぜんたいから発する微妙な匂いを、彼はどうしても好きになれなかった。彼女と直接的な性行為をするよりは、ただ親密に話をしたり、音楽を一緒に演奏したり、食事をしたりしている方が楽しかった。そして日を追うにつれ、彼女とセックスをすることがだんだん心の重荷になっていった。

それでもまだ彼は、自分はただ性的に淡泊なだけなのだと考えていた。しかしあるとき……いや、でもこの話はやめよう。話し出すと長くなるし、この物語に直接関係のないことだからだ。とにかくあることが起こり、自分が紛れもなくホモ・セクシュアルであるという事実を彼は発見したわけだ。適当な言い訳をこしらえるのも面倒だったので、「僕はホモ・セクシュアルなんだと思う」とガールフレンドに率直に打ち明けた。そして一週間後には、まわりのほとんどすべての人間が、彼がゲイであることを知るようになった。その話は回りまわって家族にも伝わった。それによって彼は何人かの親しい友人を失ったし、両親とのあいだもかなりぎくしゃくすることになったわけだが、結果的に言えばそれはそれでよかったのかもしれない。明白な事実をクローゼットの奥に押し隠して生きるのは、彼の性格に合わないことだったからだ。

しかし何よりこたえたのは、家族の中でもっとも親しかった、二つ年上の姉と仲違《たが》いしてしまったことだった。彼がゲイであることが相手の家族に知れたために、間近に控えていた結婚話が暗礁《あんしょう》に乗り上げそうになったのだ。何とか相手の両親を説得して、結婚にこぎ着けることはできたのだが、姉はその騒ぎで半ばノイローゼ状態になり、彼に対してひどく腹を立てた。どうしてわざわざこんな微妙な時期を選んで波風を立てなくてはならなかったのか、と弟を声高に責めた。弟にももちろん言い分はあった。それ以来二人のあいだには、もとあった親密さは二度と戻ってこなかった。彼は結婚式にも出なかった。

彼は一人暮らしのゲイとして、それなりに満ち足りた生活を送っていた。身なりが良く、親切で礼儀正しく、ユーモアのセンスがあったし、ほとんど常に感じのいい微笑みを口元に浮かべていたから、多くの人々は——生理的に同性愛者を毛ぎらいする人を別にすればということだが——彼に自然な好感を持った。仕事の腕は一流だったので、多くのクライアントがつき、収入も安定していた。有名なピアニストが彼を指名することもあった。大学町の一角に2ベッドルームのマンションを購入し、そのローンの返済もおおむね終わっていた。上等なオーディオ装置を持ち、自然食の調理に精通し、週に五日はジムに通って贅肉《ぜいにく》を落とした。何人かの男たちとつきあったのちに、現在のパートナーと巡り合ってもう十年近く、穏やかで不満のない性的関係を維持している。

火曜日になると一人で、ホンダのオープン・2シーター（グリーン、マニュアル・シフト）に乗って多摩川を越え、神奈川県にあるアウトレット・ショッピング・モールに行った。そのモールにはギャップや、トイザらスや、ボディーショップといった大型店舗が入っている。週末になると混雑して、駐車スペースを見つけるのも困難になるが、平日の朝はおおむね閑散としている。モールの中にある大きな書店に入って、面白そうな本を買い求め、書店の一角に設けられたカフェでコーヒーを飲みながら、そのページを繰るのが、彼のいつもの火曜日の過ごし方だった。

「モール自体はおぞましい代物《しろもの》です。もちろん。しかしそのカフェは不思議に居心地がいいんです」と彼は言った。「僕はたまたまその場所を見つけました。音楽がまったく流れていないし、全席禁煙だし、椅子《いす》のクッションが、本を読むのに理想的です。硬すぎもせず、柔らかすぎもしません。それにいつもがらがらです。火曜日の朝からカフェに入る人間はそんなにいませんし、もしいたとしても、みんな近くにあるスターバックスに行きます」

火曜日には彼は、その人気のないカフェで、十時過ぎから一時まで読書に耽《ふけ》った。一時になると近くのレストランでツナ・サラダを食べ、ペリエを一本飲み、そのあとジムに行ってたっぷり汗を流した。それが彼の火曜日の過ごし方だった。

その火曜日の朝、彼はいつものように書店のカフェで本を読んでいた。チャールズ・ディッケンズの『荒涼館』。ずっと以前に読んだことはあるのだが、書店の棚にその本をみつけて、読み返してみようという気持ちになった。面白い話だったという記憶は鮮明にあるのに、筋はろくすっぽ思い出せない。チャールズ・ディッケンズは彼の愛好する作家の一人だった。ディッケンズを読んでいるあいだはたいていの他のことを忘れてしまえるからだ。いつものように最初のページから、その物語にすっかり心を奪われてしまった。

一時間ばかり集中して本を読んだので、さすがに疲労を覚えた。本を閉じてテーブルの上に置き、ウェイトレスを呼んでコーヒーのおかわりを注文し、店の外にある洗面所に行って戻ってきた。席に戻ると、隣のテーブルで同じように静かに本を読んでいた女性が、彼に声をかけてきた。

「すみません。ちょっとお尋ねしてよろしいでしょうか？」

彼は口元にいくぶん曖昧《あいまい》な微笑みを浮かべて相手を見た。年齢はたぶん彼と同じくらいだろう。「いいですよ、どうぞ」

「こんな風に声をおかけするのは失礼かとは思ったんですが、さっきからちょっと気になっていることがありまして」、そう言って彼女は少し赤くなった。

「かまいませんよ。どうせ暇ですから、ご遠慮なく」

「あの、今お読みになっておられるご本なんですが、それはひょっとしてディッケンズじゃありませんか？」

「そうですよ」、彼は本を手にとって彼女の方に向けた。「チャールズ・ディッケンズの『荒涼館』です」

「やっぱり」とその女性はほっとしたように言った。「表紙をちらっと拝見して、ひょっとしてそうじゃないかなと思っていたんです」

「あなたも『荒涼館』がお好きなんですか？」

「ええ。というか、私もずっと同じ本を読んでいたんです。あなたのお隣で、たまたま」、彼女も読んでいた本のカバーを取って、表紙を見せた。

確かに驚くべき偶然だった。平日の朝、閑散としたショッピング・モールの、閑散としたカフェの隣り合った席で、二人の人間がまったく同じ本を読んでいる。それも世間に広く流布《るふ》しているベストセラー小説ではなく、チャールズ・ディッケンズの、あまり一般的とは言えない作品なのだ。二人は不思議な巡りあわせに驚き、そのせいで初対面のぎこちなさは消えた。

彼女はそのモールの近くにある新しく開発された住宅地に住んでいた。『荒涼館』は五日ばかり前にやはりこの書店で買い求めた。そしてカフェに座って紅茶を注文し、何気なくページを開いたのだが、一度読み始めると、本を置くことができなくなってしまった。気がつくと二時間が経過していた。そんなに夢中になって本のページを繰ったのは、学生時代以来のことだった。そこで過した時間があまりにも心地よかったので、また同じ場所に戻ってきたのだ。『荒涼館』の続きを読むために。

彼女は小柄で、太っているというほどではないのだが、身体のくびれているべき部分にいくらか肉がつきはじめていた。胸が大きく、人好きのする顔立ちだった。服装の趣味は上品で、ある程度金もかかっているようだった。二人はしばらく話をした。彼女は読書クラブに入っていて、そこで選ばれた「今月の本」が『荒涼館』だった。メンバーの中にディッケンズの熱心なファンがいて、その女性が次は『荒涼館』でいこうと提案したのだ。子供が二人いるので（小学校三年生と一年生の女の子）、日常生活の中では読書にあてる時間をみつけるのがむずかしい。しかしたまにこういう風に場所を変え、暇をつくって本を読むようにしている。普段つきあう相手は子供の同級生の母親たちだが、そこで出る話題といえばテレビ番組か教師の悪口くらいで、なかなか共通の話題が持てない。だから地域の読書クラブに入っている。夫も昔はけっこう熱心に小説を読んだのだが、最近では商社の仕事があまりにも忙しくて、経済の専門書を手に取るのがやっとだ。

彼も自分の話を簡単にした。ピアノの調律の仕事をしていること。多摩川の向こう側に住んでいること。独身であること。このカフェが気に入っているので、毎週わざわざここまで車に乗って読書をしに来ること。ゲイであることまでは言わなかった。あえて隠すつもりはないが、あたりかまわず言いふらすようなことでもない。

彼らはモールの中にあるレストランで、一緒に昼食をとった。彼女は構えたところのない、素直な性格の女性だった。いったん緊張がとれると、よく笑った。それほど声の大きくない、自然な笑いだ。彼女がこれまでどのような人生をたどってきたのか、いちいち説明を聞かなくてもおおよそ想像はついた。世田谷あたりの比較的裕福な家庭で大事に育てられ、悪くない大学に進み、成績は常に上位で、人気もあり(男友だちよりは、女友だちのあいだでより人気があったかもしれない)、生活力のある三歳ほど年上の男と結婚し、女の子を二人生んだ。子供たちは私立校に通っている。十二年にわたる結婚生活は、鮮かな色彩にあふれているとはいえないにせよ、そこには問題と呼べるほどのものはない。二人は軽い昼食をとりながら最近読んだ小説の話をしたり、好きな音楽の話をしたりした。彼らは一時間ばかりそこで話し込んだ。

「お話しできて愉しかったわ」、食事が終わったとき、彼女は頬を赤らめながらそう言った。「自由にこういう話ができる人って、私のまわりにはまるでいないんです」

「僕も愉しかったです」と彼は言った。それは嘘《うそ》ではなかった。

翌週の火曜日、彼が同じカフェで同じように本を読んでいると、彼女がやってきた。顔を合わせると二人は微笑《ほほえ》んで軽く会釈《えしゃく》をした。そして離れたテーブルに座って、それぞれに黙々と『荒涼館』を読んだ。昼前になると、彼女が彼のテーブルにやってきて、声をかけた。それから前の週と同じように、二人で一緒に食事をした。

この近くに悪くない、こぢんまりとしたフランス料理店があるんだけど、よかったらそこに行きませんか、と彼女は誘った。このモールの中にはあまりまともな店はないから。いいですよ、行きましょう、と彼は同意した。彼女の車（ブルーのプジョー306、オートマチック）で二人はその店に食事に行って、クレソンのサラダと、スズキのグリルを注文した。グラスの白ワインもとった。そしてテーブルをはさんでディッケンズの小説について語った。

食事が終わり、ショッピング・モールに帰る途中、彼女は公園の駐車場に車を停め、彼の手を握った。そしてどこか「静かなところ」に二人で行きたいと言った。ものごとの進行の急速さに彼はいささか驚かされた。

「私は結婚してから、こんなことをしたことはありません。一度も」と彼女は言い訳するように言った。「本当です。でもこの一週間ずっとあなたのことを考えていました。面倒なことを持ち出したりはしません。迷惑もおかけしません。もちろんもし私のことが嫌じゃなかったら、ということですけど」

彼は相手の手を優しく握り返し、静かな声で事情を説明した。もし僕が普通の男であれば、喜んであなたとどこか「静かなところ」に行くでしょう。あなたはとても魅力的な女性だし、一緒に親密な時間を過せれば、それは素敵なことだろうと思います。でも実を言うと、僕は同性愛者なんです。ですから女の人を相手にしたセックスはできません。女性とセックスできるゲイもいますが、僕はそうじゃありません。どうか理解してください。あなたの友だちになることはできます。でも残念ながら、あなたの恋人にはなれません。

彼の説明の趣旨が相手にじゅうぶん理解されるまでに少し時間がかかったが（なにしろ同性愛者に出会ったのは、彼女の人生で初めての体験だったから）、それが呑《の》み込めたあとで彼女は泣いた。調律師の肩に顔をつけて、長いあいだ泣いていた。たぶんショックだったのだろう。気の毒に、と彼は思った。そして女の肩を抱き、髪を優しく撫《な》でた。

「ごめんなさい」と彼女は言った。「私のせいで、あなたに言いたくないことまで言わせてしまって」

「いいんです。とくに世間にそのことを隠しているわけじゃないから。やはり僕の方から前もってそう匂《にお》わせておくべきだったのかもしれない。誤解を招かないようにね。どちらかといえば、僕の方があなたに悪いことをしてしまったみたいな気がする」

彼は長い五本の指で、彼女の髪を優しく、時間をかけて撫で続けた。それは少しずつ彼女のたかぶりを鎮《しず》めていった。彼女の右側の耳たぶにはほくろがひとつあることに彼は気づいて、息苦しさにも似た懐《なつか》しみを感じることになった。二つ年上の姉にも、似たような場所に、同じくらいの大きさのほくろがあったからだ。小さいころ、姉が眠っているとき、彼はよく冗談でそのほくろを指でこすり落とそうとしたものだ。そうすると姉はいつも目を覚まして怒った。

「でも、あなたに出会ったおかげでこの一週間、けっこうどきどきしながら毎日を過ごすことができました」と彼女は言った。「そういう気持ちになれたことって、本当に久しぶりだったんです。なんだか十代に戻ったみたいで、楽しかったわ。だからいいんです。美容院に行ったり、短期間ダイエットしたり、イタリア製の新しい下着を買ったり……」

「ずいぶん散財をさせたみたいだ」と彼は笑って言った。

「でもたぶん、今の私にはそういうことが必要だったんです」

「そういうことって？」

「自分の気持ちを、何かのかたちにしてみること」

「たとえば、イタリア製のセクシーな下着を買うこととか？」

彼女は耳まで赤くなった。「セクシーっていうんじゃないの、ぜんぜん。とても素敵だっていうだけ」

彼はにっこり微笑んで相手の目を見た。そして自分はただ場を和らげるために、罪のない冗談を言っているのだということを示した。彼女もそれを理解して微笑んだ。二人はしばらくお互いの目をのぞきこんでいた。

彼はそれからハンカチを出して涙を拭《ふ》いてやった。女は身を起こし、車のサンバイザーについたミラーで化粧を直した。

「あさって、都内の病院に行って乳癌《にゅうがん》の再検査を受けることになっているんです」、車をショッピング・モールの駐車場に停め、サイドブレーキを引いてから、彼女はそう言った。「定期検診のレントゲン写真に疑わしい影が見えるので、もう一度詳しいチェックをしたいって連絡があったんです。もしそれが本当に癌だったら、すぐに入院して手術を受けなくてはならないかもしれません。今日こういう風になっちゃったのは、もしかしたらそのせいもあったかもしれない。つまり――」

沈黙が少しあった。それから彼女は何度か首を左右に振った。ゆっくりと、でも強く。

「自分でもよくわからない」

調律師はしばらくのあいだ、彼女の沈黙の深さを測っていた。耳を澄ませ、その沈黙の中に微妙な音の響きを聴き取ろうとした。

「火曜日の午前中なら僕は、だいたいいつもここにいます」と彼は言った。「たいしたことはできないけど、話し相手くらいにはなれると思う。もし僕みたいなものでよければ」

「誰にも言ってないの。夫にも」

彼はサイドブレーキの上に置かれた彼女の手に、手を重ねた。

「とても怖い」と彼女は言った。「ときどき、何も考えられなくなってしまうの」

隣の駐車スペースにブルーのミニヴァンが停まり、中から不機嫌そうな顔をした中年の夫婦が降りてきた。会話の声が聞こえた。二人は何かを責め合っているようだった。どうでもいいような何かを。彼らが行ってしまうと、再びあたりに沈黙が戻った。彼女は目を閉じていた。

「僕は偉そうなことを言える立場にはないけれど」と彼は言った。「しかし、どうしたらいいのかわからなくなってしまったとき、僕はいつもあるルールにしがみつくことにしているんです」

「ルール？」

「かたちのあるものと、かたちのないものと、どちらかを選ばなくちゃならないとしたら、かたちのないものを選べ。それが僕のルールです。壁に突きあたったときにはいつもそのルールに従ってきたし、長い目で見ればそれが良い結果を生んだと思う。そのときはきつかったとしてもね」

「そのルールはあなたが自分で作ったの？」

「そう」と彼はプジョーの計器パネルに向かって言った。「ひとつの経験則として」

「かたちのあるものと、かたちのないものと、どちらかを選ばなくちゃならないとしたら、かたちのないものを選べ」と彼女はくり返した。

「そのとおり」

彼女はひとしきり考えた。「そう言われても、今の私にはよくわからない。いったい何にかたちがあって、何にかたちがないのか」

「そうかもしれない。でもそれはたぶん、どこかで選ばなくちゃならないことなんです」

「あなたにはそれがわかるの？」

彼は静かに頷《うなず》いた。「僕みたいなベテランのゲイにはいろんなとくべつな能力が身についてくるんです」

彼女は笑った。「ありがとう」

それからまた長い沈黙があった。でもその沈黙には以前ほどの濃密な息苦しさはなかった。

「さようなら」と彼女は言った。「いろいろと本当にありがとう。あなたに会えて、話をすることができてよかった。少し勇気が出てきたような気がする」

彼は微笑んで彼女と握手をした。「元気でね」

彼はそこに立って、彼女の青いプジョーが去っていくのを見送った。最後にミラーに向けて手を振った。それから自分のホンダを停めた場所までゆっくり歩いた。

翌週の火曜日は雨だった。彼女はカフェには姿を見せなかった。彼は一時までそこで黙々と本を読み、それから引き上げた。

調律師はその日、ジムに行くのをやめた。身体《からだ》を動かしたいという気持ちになれなかったからだ。昼食もとらず、まっすぐ自宅に戻った。そしてソファに座ってアルトゥール・ルービンシュタインの演奏するショパンのバラード集を聴きながら、ただぼんやりとしていた。目を閉じると、プジョーを運転する小柄な女性の顔が目の前に浮かび、その髪の感触が指先に蘇《よみがえ》った。耳たぶのほくろの黒いかたちが鮮やかに思い出された。時間がたって、女の顔やプジョーの像が消えたあとでも、そのほくろのかたちだけはくっきりと残った。その小さな黒い点は、目を開けても目を閉じてもそこに浮かび、打ちそびれた句読点のようにひそやかに、しかし止《や》むことなく彼の心を揺さぶった。

午後の二時半を過ぎたころ、彼は姉の家に電話をかけてみることにした。姉と最後に口をきいてから、ずいぶん年月がたつ。どれくらいだろう？　十年？　二人の仲はそれくらい疎遠《そえん》になっていた。姉の結婚話がもつれたとき、興奮状態の中で、口にすべきではないことをお互いが口にしてしまったというのも、その理由のひとつだった。姉が結婚した相手が彼の気に入らなかったというのも理由のひとつだった。その男は傲慢《ごうまん》な俗物であり、彼の性的傾向をまるで不治の伝染病のように扱った。どうしてもやむを得ない場合は別にして、その男の100メートル以内には近寄りたくなかった。

彼は受話器を手に何度も迷ってから、ようやく番号を最後まで押した。電話のベルが十回以上鳴って、彼があきらめて——しかし半ばほっとして——受話器を置こうとしたときに、姉が出た。懐かしい声だった。彼だとわかると、電話口の向こうで一瞬深い沈黙があった。

「どうしてまた、電話してきたの？」と姉は抑揚を欠いた声で言った。

「わからない」と彼は正直に言った。「ただ電話した方がいいような気がしたんだ。姉さんのことが気になったから」

再び沈黙があった。長い沈黙だった。たぶん彼女はまだ僕に腹を立てているのだろうと彼は思った。

「別に用事はないんだ。元気ならそれでいいよ」

「ちょっと待って」と姉は言った。その声から、彼女が声を出さずに電話口で泣いていたことを彼は知った。「悪いけど、ちょっとだけ待ってくれる」

またひとしきり沈黙が続いた。彼はそのあいだ受話器をずっと耳に押しあてていた。何の音も聞こえない。気配ひとつない。それから姉が言った。「今日はこれから時間あいてるかしら？」

「あいてるよ。暇だ」と彼は言った。

「今からそちらに行ってかまわない？」

「かまわない。駅まで車で迎えに行くよ」

一時間後、彼は駅前で姉をピックアップし、マンションの部屋に連れて行った。十年ぶりに再会して、姉と弟はそれぞれに、相手が十年ぶんの年齢を身につけていることを認めないわけにはいかなかった。年月はその取り分をきちんととっていくのだ。そして相手の姿は、自分自身の変化を映し出す鏡でもあった。姉は相変わらずやせていて、スタイルが良く、実際の年齢より五つは若く見えた。しかし頬のそげ方には昔とは違うきつさのようなものがうかがえた。印象的な黒い瞳《ひとみ》も以前のような潤《うるお》いを失っていた。彼も実際の年齢より若くは見えたけれど、髪の生え際《ぎわ》がいくらか後退したことは誰の目にも明らかだった。車の中で、二人は遠慮がちにありきたりの話をした。仕事の具合はどうか？　子供たちは元気か？　共通の知人の消息、両親の健康状態。

部屋に入ると、彼はキッチンに行って湯を沸かした。

「まだピアノを弾いているの？」と彼女は居間に置いてあるアップライト・ピアノに目をとめて言った。

「趣味で弾いてるよ。やさしい曲だけね。むずかしいものはとても指がまわらない」

姉はピアノの蓋《ふた》を開け、使い込まれて変色した鍵盤《けんばん》に指を置いた。「あなたはゆくゆく、コンサート・ピアニストとして名を成すだろうと思っていたんだけど」

「音楽の世界というのは、神童の墓場なんだよ」と彼はコーヒー豆を挽《ひ》きながら言った。「もちろん僕にとっても、それはすごく残念なことだったよ。ピアニストになるのをあきらめるのはね。そりゃ、がっかりしたさ。それまで積み上げてきたことが何もかも無駄に終わったんだ、という気がした。どこかに消え失《う》せてしまいたいような気持ちにもなった。でもどう考えても、僕の耳は僕の腕より遥《はる》かに優秀だった。僕より腕のたつやつはけっこういるけれど、僕より耳の鋭いやつはいない。

大学に入ってしばらくして、そのことに気づいた。そしてこう思った。二流のピアニストになるよりは、一流の調律師になった方が僕自身のためだって」

彼は冷蔵庫からコーヒー用のクリームを出して、小さな瀬戸物のピッチャーに移した。

「不思議な話だけど、調律を専門に勉強するようになってから、逆にピアノを弾くことが楽しくなったんだ。小さいときから必死にピアノを勉強してきた。練習をかさねて自分が上達していくのはそれなりに面白かったよ。でもピアノを弾くのが楽しいと思ったことは、ただの一度もなかったと思う。僕はただ問題点を克服することを目的にピアノを弾いていた。ミスタッチをしないように、指がもつれないように。人に感心されるように。でもピアニストになるのをあきらめてから、音楽を演奏する喜びみたいなものがやっと理解できたんだ。音楽というのは素晴しいものなんだと思った。まるで重い荷物を肩から下ろしたみたいな感じだったね。担《かつ》いでいるあいだは、そんなものを担いでいること自体に気づかなかったんだけれど」

「そんな話、あなたは一度もしてくれなかった」

「話さなかったっけ？」

姉は黙って首を振った。

そうかもしれない、と彼は思った。あるいは話さなかったかもしれない。少なくともこんな風には。

「自分がゲイだと気づいたときも、同じだった」と彼は続けた。「僕の中でどうしても納得のいかなかったいくつかの疑問が、それですっと腑《ふ》に落ちた。なるほどそういうわけだったのかってね。それでずいぶんらくになれた。曇っていた眺めが、一瞬のうちに開けたみたいに。ピアニストになるのをあきらめて、ゲイであることをカミングアウトしたことで、まわりの人は失望したかもしれない。でもわかってほしいんだけど、そうすることで僕はやっと本来の自分に戻ることができたんだ。自然なかたちの自分自身に」

彼はコーヒー・カップをソファに座った姉の前に置いた。自分もマグを持って、その隣に腰を下ろした。

「あなたのことをもっと理解してあげるべきだったのかもしれない」と姉は言った。「でもその前に、もっと私たちにいろんなことを細かく説明してくれてもよかったんじゃないかしら。胸を開いて打ち明けてくれるというか、あなたがそのときどんなことを考えていて――」

「説明なんかしたくなかったんだ」と彼は遮るように言った。「いちいち説明しなくても、わかってもらいたかったんだと思う。とくに姉さんにはさ」

姉は無言だった。

彼は言った。「まわりの人たちの気持ちなんて、そのころの僕には何ひとつ考えられなかったんだ。そんなことを考える余裕はとてもなかった」

当時のことを思い出すと、声が少し震えた。泣き出したいような気持ちになった。しかし彼はなんとかそれを制御した。そして続けた。

「短いあいだに僕の人生はがらっと変ってしまったんだ。そこから振り落とされないように、なんとかしがみついているのがやっとだった。すごく怯《おび》えていたし、怖くてたまらなかった。そんなとき、他人に説明なんてできない。世界からずり落ちていくような気がした。だから僕はただわかってもらいたかったんだ。そしてしっかり抱きしめてもらいたかった。理屈やら説明やら、そんなものは抜きで。でも誰ひとりとして――」

姉は両手で顔を覆《おお》った。そして肩を震わせて、声をあげずに泣き始めた。彼は姉の肩にそっと手を置いた。

「ごめんなさい」と姉は言った。

「いいんだよ」と彼は言った。そしてコーヒーにクリームを入れ、スプーンでかきまわし、気持ちを収めるためにゆっくりと飲んだ。「べつに泣くことなんかない。僕だって良くなかったんだから」

「ねえ、どうして今日電話をかけてきたの？」と姉は顔を上げ、彼の顔をまっすぐに見て言った。

「今日？」

「十年以上も口をきかないで、どうしてわざわざ今日――ということ」

「ちょっとしたことが起こって、それで姉さんのことを考えたんだ。どうしてるんだろうって、思った。声が聞きたくなった。それだけだよ」

「誰かに何かを聞いたわけじゃないのね？」

姉の声には特殊な響きがあって、それが彼を緊張させた。「いや、誰からも何も聞いてない。何かあったの？」

姉は気持ちを整理するようにしばらく黙っていた。彼は彼女が話し始めるのを辛抱強く待っていた。

「実は明日から入院することになっているの」と姉は言った。

「入院？」

「あさってに乳癌《にゅうがん》の手術をすることになっている。右側を切除するの。すっぽりと。でもそれでうまく癌の進行が停まってくれるかどうか、誰にもわからない。とっていみなくてはわからないんだって」

彼はしばらくのあいだ口をきくことができなかった。姉の肩に手を置いたまま、部屋の中に置かれているいろんな品物を意味もなく順番に眺めた。時計や、置物や、カレンダー、ステレオのリモコン。見慣れた部屋にある見慣れた物体であるはずなのに、物体と物体とのあいだの距離感がどうしてもつかめない。

「あなたに連絡しようかどうしようか、ずっと迷っていたの」と姉は言った。「でもしない方がいいような気がして、黙っていた。あなたにはとても会いたかった。一度ゆっくり話さなくてはと思っていたの。謝らなくちゃいけないこともあった。だけど……こんなかたちで再会したくはなかった。私の言うことわかる？」

「わかるよ」と弟は言った。

「同じ会うにしても、もっと明るい状況で、もっと前向きな気持ちで会いたかったの。だから連絡するまいって心を決めた。でもちょうどそのときにあなたが電話をかけてきてくれて――」

彼は何も言わず、両手で姉の身体を正面からしっかりと抱きしめた。彼女のふたつの乳房のかたちを自分の胸に感じた。姉は彼の肩に顔を置いて、ずっと泣いていた。姉と弟は長いあいだそのままの姿勢でいた。

やがて姉は口を開いてたずねた。「ちょっとしたことがあって、私のことを思い出したってさっき言ったけど、いったいどんなことがあったの？　よかったら教えて」

「なんて言えばいいんだろう。ひとくちでは説明できない。でもちょっとしたことだよ。偶然がいくつか重なったんだ。偶然が重なって、それで僕は――」

彼は首を振った。距離感がまだうまく戻ってこない。リモコンと置物とのあいだには何光年もの隔たりがある。

「うまく説明できない」と彼は言った。

「いいのよ」と姉は言った。「でもよかった。本当によかった」

彼は姉の右の耳たぶに手をやり、指先でほくろを軽くこすった。それから大切な場所に無言の囁《ささや》きを送るように、耳にそっとキスをした。

「姉は手術で右の乳房を切除しましたが、幸い癌の転移はなくて、それで化学療法も比較的軽くて済みました。髪が抜け落ちるとか、そういうこともありませんでした。今ではすっかり元気になっています。病院には毎日のように見舞いに行きましたしね。だって、女の人にとって乳房をひとつ失うというのはずいぶんきついことですた。退院した後も姉の家によく遊びに行くようになりました。甥《おい》や姪《めい》ともすっかり仲良くなりました。姪にはピアノを教えてもいます。僕が言うのもなんだけど、けっこう筋はいいんですよ。姉の夫も実際につきあってみると、思っていたほど嫌なやつではありませんでした。もちろん傲慢なところがなくはないし、いささか俗物ではあるんだけど、一生懸命働いていることは確かだし、何よりも姉を大事にしてくれます。それにゲイは伝染性のものではないし、甥や姪にもうつらないんだということをようやく理解してくれました。それはささやかだけれど偉大な一歩ですよね」

彼はそう言って笑った。

「姉と仲直りできたことで、僕の人生はひとつ前に進めたような気がします。以前に比べてもっと自然に生きることができるようになったっていうか……。それはおそらく、僕がきちんと向かい合わなくてはならないことだったんですね。僕は心の底で長いあいだ、姉と和解して抱き合うことを求めていたんだと思う」

「しかしそれにはきっかけが必要だった？」と僕は尋ねた。

「そういうことです」と彼は言った。そして何度か頷《うなず》いた。「きっかけが何よりも大事だったんです。僕はそのときにふとこう考えました。偶然の一致というのは、ひょっとして実はとてもありふれた現象なんじゃないだろうかって。つまりそういう類《たぐい》のものごとは僕らのまわりで、しょっちゅう日常的に起こっているんです。でもその大半は僕らの目にとまることなく、そのまま見過ごされてしまいます。まるで真っ昼間に打ち上げられた花火のように、かすかに音はするんだけど、空を見上げても何も見えません。しかしもし僕らの方に強く求める気持ちがあれば、それはたぶん僕らの視界の中に、ひとつのメッセージとして浮かび上がってくるんです。その図形や意味合いが鮮やかに読みとれるようになる。そして僕らはそういうものを目にして、『ああ、こんなことも起こるんだ。不思議だなあ』と驚いたりします。本当はぜんぜん不思議なことでもないにもかかわらず。そういう気がしてならないんです。どうでしょう、僕の考えは強引すぎるでしょうか？」

彼の言ったことについて考えてみた。そうだね、そうかもしれない、と返事をすることはできた。でもそんなに簡単に結論をだしてしまえることなのかどうか、もうひとつ自信がなかった。

「僕としてはどちらかといえば、もう少しシンプルに、ジャズの神様説を信奉し続けたいけどね」と僕は言った。

彼は笑った。「それもなかなか悪くありませんね。ゲイの神様、なんてのもいるといいんだけど」

書店のカフェで彼が出会った小柄な女性が、その後どのような運命をたどることになったのか、僕にはわからない。もう半年以上うちのピアノの調律をしていなくて、彼と会って話をする機会がなかったからだ。彼はおそらく今でも火曜日になると、多摩川を渡ってその書店のカフェに通っているはずだし、いつか彼女と顔を合わせたかもしれない。しかしその話はまだ聞いていない。というわけで話は今のところここで終わっている。

ジャズの神様だかゲイの神様だかが——あるいはほかのどんな神様でもかまわないのだけれど——どこかでささやかに、あたかも何かの偶然のようなふりをして、その女性を護《まも》ってくれていることを、僕としては心から望んでいる。とてもシンプルに。

ハナレイ・ベイ

サチの息子は十九歳のときに、ハナレイ湾《ベイ》で大きな鮫《さめ》に襲われて死んだ。正確に言えば、食い殺されたわけではない。一人で沖に出てサーフィンをしているときに、鮫に右脚を食いちぎられ、そのショックで溺《おぼ》れ死んだのだ。だから正式な死因は溺《でき》死《し》ということになっている。サーフボードもほとんどまっ二つに食いちぎられていた。鮫が人を好んで食べることはない。人間の肉の味はどちらかといえば鮫の嗜好《しこう》にはあわないのだ。一口齧《かじ》っても、だいたいの場合がっかりしてそのまま立ち去ってしまう。だから鮫に襲われても、パニックにさえ陥らなければ、片腕や片脚を失うだけで生還するケースは多い。ただ彼女の息子はあまりにも驚いて、それでおそらくは心臓発作のようなものを起こし、水を大量に飲んで溺死してしまったわけだ。

サチはホノルルの日本領事館からその知らせを受け、そのまま床に座り込んでしまった。頭の中ががらんとして、何を考えることもできなかった。ただそこにへたり込んで、目の前の壁の一点を見つめていた。どれくらいの長いあいだそうしていたのか、彼女にもわからない。しかしようやく気を取り直して航空会社の電話番号を調べ、ホノルル行きの飛行機の予約を入れた。領事館員に言われたように、とにかく一刻も早く現地に行って、それが本当に自分の息子なのかどうかを確認しなくてはならない。ひょっとしたら、人違いだったということになるかもしれない。しかし連休にあたっていたせいで、当日と翌日のホノルル便の空席はひとつもないと言われた。どこの航空会社も状況は同じだった。しかし事情を説明すると、ユナイテッドの係員は「とりあえず今から、急いで空港までお越し下さい。なんとか席はみつけましょう」と言ってくれた。簡単に荷物をまとめて成田空港に行くと、女性の担当者が待っていてビジネス・クラスのチケットを彼女に渡してくれた。「今はこれしか空いていません。しかしエコノミー・クラスの料金でけっこうです」と彼女は言った。「お辛《つら》いでしょうが、どうかお力落としのないように」。ありがとう、ほんとにたすかりました、とサチは礼を言った。

ホノルル空港に着いたとき、あまりに慌《あわ》てていたので、到着時刻を領事館員に伝えるのを忘れていたことにサチは気づいた。ホノルルの日本領事館員が彼女に付き添ってカウアイ島に行くことになっていたのだ。しかし今から連絡をとって待ち合わせをするのも面倒だったので、そのまま自分一人でカウアイに行ってみることにした。現地に行けばなんとかなるだろう。飛行機を乗り換え、カウアイ島に着いたのは昼前だった。彼女は空港のエイヴィスでレンタカーを借りて、まず近くの警察署に行った。そして息子がハナレイ湾で鮫に襲われて死んだという知らせを受けて、東京からやって来たのだと言った。眼鏡をかけた白髪まじりの警官が、冷蔵倉庫のような遺体安置所に彼女を連れて行った。そして片脚を食いちぎられた息子の死体を見せてくれた。右脚が膝《ひざ》の少し上のところからなくなっていた。断面からは白い骨が痛々しくのぞいていた。それは疑いの余地なく彼女の息子だった。顔には表情というものがなく、ごく普通にぐっすり眠っているように見えた。死んでいるとは思えない。たぶん誰かが表情を整えてくれたのだろう。肩を強く揺すったら、ぶつぶつ文句を言いながら起き出してきそうに見えた。かつて毎朝そうしていたのと同じように。

別室で、その遺体が自分の息子であることを確認する書類にサインをした。息子さんの遺体をどのようになさるおつもりですか、と警官が尋ねた。わからない、と彼女は言った――普通の場合はどのようにするものなのでしょう？　火葬にして、その灰を持って帰られるのが、こういう場合のもっとも一般的なやり方です、と警官が言った。遺体をそのまま日本に持って帰られることも可能ではありますが、これは手続きも面倒ですし、お金もかかります。あるいはまたカウアイの墓地に葬《ほうむ》ることもできます。警官はそう説明した。

火葬にしてください。遺骨を東京に持って帰ります、とサチは言った。息子はもう死んでしまったのだ。どのようにしても生き返る見込みはない。灰であろうが骨であろうが遺体であろうが、何の変わりがあるだろう。彼女は火葬許可申請書にサインをした。そのための費用を支払った。

「アメリカン・エキスプレスしかないんですが」とサチは言った。

「アメリカン・エキスプレスでけっこうです」と警官は言った。

私はアメリカン・エキスプレスで息子の火葬の料金を支払っているのだ、とサチは思った。それは彼女にはずいぶん非現実的なことに思えた。息子が鮫に襲われて死んだというのと同じくらい、現実味を欠いていた。火葬は翌日の午前中におこなわれるということだった。

「あなたは英語をよく話しますね」とその担当の警官は書類を整理しながら言った。サカタという名前の日系の警官だった。

「若いころ、アメリカにしばらく住んでいました」とサチは言った。

「なるほど」と警官は言った。それから息子の荷物を渡してくれた。衣類、パスポート、帰りの航空チケット、財布、ウォークマン、雑誌、サングラス、化粧バッグ。小さなボストンバッグにすべて収まっていた。サチはそのような細々した品物をリストにした受領書にもサインしなくてはならなかった。

「ほかにお子さんはおられるのですか？」と警官は尋ねた。

「いいえ、ただ一人の子供です」とサチは答えた。

「ご主人は今回、一緒に来られなかったのですか？」

「夫はずいぶん前に亡《な》くなりました」

警官は深いため息をついた。「お気の毒です。私どもにできることがありましたら、おっしゃってください」

「息子が死んだ場所を教えてください。泊まっていたところも。宿泊費の支払いもあると思いますので。それからホノルルの日本領事館と連絡をとりたいのですが、電話を使わせていただけますか？」

警官は地図を持ってきて、息子がサーフィンをしていた場所と、泊まっていたホテルの場所にマーカーでしるしをつけてくれた。彼女は警官が推薦してくれた、町中にある小さなホテルに泊まることにした。

「私からひとつ、あなたに個人的なお願いがあります」とサカタという初老の警官は別れ際《ぎわ》にサチに言った。「ここカウアイ島では、自然がしばしば人の命を奪います。ごらんのようにここの自然はまことに美しいものですが、同時に時として荒々しく、致死的なものともなります。私たちはそういう可能性とともに、ここで生活しています。息子さんのことはとてもお気の毒に思います。心から同情します。しかしどうか今回のことで、この私たちの島を恨んだり、憎んだりしないでいただきたいのです。あなたにしてみれば勝手な言い分に聞こえるかもしれません。しかしそれが私からのお願いです」

サチは頷《うなず》いた。

「奥さん、私の母の兄は、1944年にヨーロッパで戦死しました。フランスのドイッとの国境近くです。日系人で作られた部隊の一員として、ナチに包囲されたテキサスの大隊を救出に行ったとき、ドイツ軍の直撃弾にあたって亡くなったんです。あとには認識票と、ばらばらになった肉片しか残りませんでした。そういうものが雪の中に飛び散っていたということです。母は兄のことを深く愛していたので、それ以来人が変わったようになったということです。私はもちろん変わってしまってからの母の姿しか知りません。それはとても心のいたむことです」

警官はそう言って首を振った。

「大義がどうであれ、戦争における死は、それぞれの側にある怒りや憎しみによってもたらされたものです。でも自然はそうではない。自然には側のようなものはありません。あなたにとっては本当につらい体験だと思いますが、できることならそう考えてみてください。息子さんは大義や怒りや憎しみなんかとは無縁に、自然の循環の中に戻っていったのだと」

翌日、火葬をすませ、遺骨の入った小さなアルミニウムの壺《つぼ》を受け取ってから、彼女は車を運転して、ノースショアの奥にあるハナレイ湾まで行った。警察署のあるリフエの町からそこまでは一時間ほどかかった。数年前に襲った巨大な台風のおかげで、島の樹木のほとんどは、大きく変形するほどの打撃を受けていた。屋根を吹き飛ばされた木造家屋のあともいくつか目にした。山のかたちが変わっているところもあった。自然が厳しい環境なのだ。

半ば眠り込んだような、小さなハナレイの町を通り過ぎ、少し先に行ったところに、息子が鮫に襲われたサーフ・ポイントがあった。彼女は近くの駐車場に車を停め、砂浜に座って、五人ほどのサーファーが波に乗っている様子を眺めた。彼らはボードにつかまって沖合に浮かんでいた。勢いのある波がやってくるとそれをつかまえ、助走をつけてボードの上に立ち、波に乗って岸辺近くまでやってきた。そして波が勢いを失うと、バランスを失って水の中に落ちた。それからボードを回収し、またパドリングして、波をくぐり抜けながら沖合に戻っていった。その繰り返しだった。サチにはうまく理解できなかった。この人たちは鮫が怖くないのかしら。それとも私の息子が数日前に、この同じ場所で鮫に殺されたことを聞いていないのだろうか？

サチは砂浜に座って、そんな光景を一時間ばかりあてもなく眺めていた。輪郭のあることは何ひとつ考えられない。重みを持つ過去は、どこかにあっけなく消え失《う》せてしまったし、将来はずっと遠い、うす暗いところにあった。どちらの時制も、今の彼女とはほとんどつながりをもっていなかった。彼女は現在という常に移行する時間性の中に座り込んで、波とサーファーたちによって単調にくり返される風景を、ただ機械的に目で追っていた。今の私にいちばん必要なのは時間なのだ、彼女はある時点でふとそう思った。

それから彼女は息子の泊まっていたホテルに行った。サーファーが泊まる小さな汚いホテルで、荒れた庭があり、髪の長い半裸の若い白人が二人、キャンバス・チェアに座ってビールを飲んでいた。ローリング・ロックの緑の瓶が、足元の雑草の中に何本か転がっていた。一人は金髪で一人は黒髪だったが、それをべつにすれば二人とも同じような顔つき、同じような背格好だった。どちらも両腕に派手ないれずみを入れていた。マリファナの匂《にお》いもかすかにした。犬の糞《ふん》の匂いがそこに混じっていた。サチが近づいていくと、彼らは警戒の目で彼女を見た。

「このホテルに泊まっていた私の息子が、三日前に鮫に襲われて死んだの」とサチは説明した。

二人は顔を見合わせた。「それ、テカシのことかい？」

「そう、テカシのこと」とサチは言った。

「クールなやつだった」と金髪の方が言った。「気の毒したね」

「あの日の朝、えーと、亀《かめ》がたくさん湾に入ってきてたんだ」と黒髪が弛緩《しかん》した声で説明した。「亀を追って鮫が入ってきた。あー、ふだんはあいつらサーファーを襲わないんだよ。俺たち、鮫とけっこう仲良くやってる。でもさ……、うーん、まあ、鮫にもいろいろあるからさ」

ホテルの宿泊費を支払いに来たのだと彼女は言った。たぶん未払いのぶんがあると思うから。

金髪が顔をしかめて、ビール瓶を空中でひらひらと振った。「ねえ、おばさん、あんたよくわかってない。ここは前払いでしか客を泊めないんだ。何しろ貧乏サーファー相手の安ホテルだからさ、未払い料金なんてものはあり得ない」

「おばさん、あー、テカシのサーフボード持っていく？」と黒髪が言った。「鮫のやつに齧られて、ぎざぎざに……ふたつに裂けちゃってるけどさ。ディック・ブリュワーの古いやつ。警察が持っていかなかったから、あー、まだそのへんに置いてあると思うけど」

サチは首を振った。そんなもの見たくもない。

「気の毒したね」と金髪がまた同じことを言った。ほかの台詞《せりふ》はとくに思いつけないみたいだった。

「クールなやつだったね」と黒髪が言った。「オーケーだった。サーフィンの腕もずいぶんよかった。えーと、そうだな、前の晩もいっしょに……ここでテキーラ飲んでたんだ。うん」

サチは結局一週間、ハナレイの町に滞在した。いちばんまともそうなコテージを借りて、そこで簡単に自炊をしながら暮らした。彼女は日本に戻る前に、なんとか自分を取り戻さなくてはならなかった。ビニール・チェアとサングラスと帽子と日焼けどめクリームを買い、毎日砂浜に座ってサーファーたちの姿を眺めた。一日に何度か雨が降った。それもたらいをひっくり返したような激しい雨だった。秋のカウアイのノースショアは天候が不安定なのだ。雨が降り出すと車の中に入って、雨を眺めていた。雨が止《や》むと、またビーチに出て海を眺めた。

それ以来サチは毎年この時期になると、ハナレイの町を訪れるようになった。息子の命日の少し前にやってきて、三週間ばかり滞在した。やってくると、毎日ビニール・チェアを持って海岸に行き、サーファーたちの姿を眺める。そのほかにはとくに何もしない。一日ただビーチに座っているだけ。それがもう十年以上続いている。同じコテージの同じ部屋に泊まり、同じレストランで一人で本を読みながら食事をする。それを毎年、判で押したように続けているうちに、親しく話をする相手も何人かできた。小さな町だから、今では多くの人がサチの顔を覚えている。この近くで鮫《さめ》に子供を殺された日本人のマム、として彼女は知られている。

その日、具合のよくないレンタカーを取り替えてもらいにリフエ空港まで行った帰り、途中にあるカパアという町で、ヒッチハイクをしている日本人の若者二人を見かけた。彼らは大きなスポーツバッグを肩から下げて、「オノ・ファミリー・レストラン」の前に立ち、頼りなさそうに車に向かって親指を上げていた。一人は背が高くひょろひょろして、もう一人はずんぐりしていた。どちらも茶色に染めた髪を肩まで伸ばし、くたびれたTシャツにだらんとしたショーツ、サンダルというかっこうだ。サチはそのまま通り過ぎたが、しばらく進んでから思い直し、方向転換して戻った。

「どこまで行くの？」と彼女は窓を開けて日本語でたずねた。

「あ、日本語しゃべれるんだ」と背の高い方が言った。

「そりゃ、日本人だもの」とサチは言った。「どこまで行くの？」

「ハナレイってところなんですけど」と背の高い方が言った。

「乗っていく？　ちょうどそこまで帰るところだから」とサチは言った。

「助かります」とずんぐりした方が言った。

彼らは荷物をトランクに入れ、それからネオンの後部座席に二人で座ろうとした。

「あのね、二人で揃《そろ》って後ろに座られても困るんだけど」とサチは言った。「タクシーじゃないんだから、一人は前に乗ってちょうだい。それが礼儀ってもんよ」

結局背の高い方がおそるおそる助手席に座ることになった。

「これ、なんていう車ですか？」と長身が長い脚を苦労して折りたたみながら尋ねた。

「ダッジ・ネオン。クライスラーが作ってる」とサチは言った。

「へえ、アメリカにもこんな狭苦しい車があるんだ。うちの姉貴がカローラに乗ってますけど、あっちの方がむしろ広いですね」

「アメリカ人がみんな、でかいキャディラックに乗ってるわけじゃないからね」

「でも小せえなあ」

「気に入らなきゃここで降りてもいいよ」とサチは言った。

「いや、そんなつもりで言ったんじゃないっすよ。参ったな。ただ狭いんで、ちょっと驚いただけ。アメリカの車ってみんなうすらでかいもんだと思ってたもんで」

「それで、ハナレイに何しに行くの？」とサチは車を運転しながら聞いた。

「いちおう、サーフィンとか」と長身が言った。

「ボードは？」

「現地調達するつもりですけど」とずんぐりが言った。

「日本からわざわざ持ってくるってのもかったるいし、中古で安いのを買えるって聞いたもんですから」と長身が言った。

「あの、おばさんもここに旅行に来てんですか？」とずんぐりが言った。

「そう」

「一人で？」

「そのとおり」とサチはさらりと言った。

「ひょっとして、伝説のサーファーとかじゃないすよね？」

「そんなわけないじゃないの」とサチはあきれて言った。「ところであんたたち、ハナレイで泊まるところは決まってんの？」

「いいえ、行けばなんとかなるだろうって思ったから」と長身が言った。

「だめなら浜で野宿すればいいしとか思って」とずんぐりが言った。「俺たちあまり金ないし」

サチは首を振った。「この季節のノースショアはね、夜がやたら冷えるし、家の中でもセーターが必要なくらいなの。野宿なんてしたらまず身体《からだ》を壊しちゃうよ」

「あの、ハワイって常夏《とこなつ》じゃないんですか？」と長身が尋ねた。

「ハワイはしっかり北半球にあってね、ちゃんと四季もある。夏は暑いし、冬はそれなりに寒い」とサチは言った。

「じゃあ、どっか屋根のあるとこに泊まらなくちゃな」とずんぐりが言った。

「あの、おばさん、どっか泊まれるところ、紹介してもらえませんか？」と長身が言った。「俺たち、英語ってほとんどしゃべれないんです」

「ハワイはどこでも日本語が通じるって聞いてきたんだけど、来てみると、ぜんぜん通じないいっすね」とずんぐりが言った。

「あたりまえじゃない」とサチはあきれて言った。「日本語が通じるのは、オアフのそれもワイキキの一部だけ。日本人が来て、ルイ・ヴィトンだとかシャネルだとか高いものを買っていくから、あっちも日本語ができる店員をわざわざ捜してくるの。あるいはハイアットとかシェラトンとかね。そういうところを一歩出たら、あとは英語しか通じない。なにしろアメリカだから。そんなことも知らないでカウアイまで来たの？」

「いや、知りませんでした。ハワイならどこでも日本語が通じるって、うちのおふくろが言ってたから」

「やれやれ」とサチは言った。

「あの、いちばん安いホテルみたいなんでいいんですけど」とずんぐりが言った。

「俺たち、ほら、お金ないから」

「ハナレイのいちばん安いホテルはね、初心者はパスした方がいいよ」とサチは言った。「ちょっとやばいから」

「どういう風にやばいんすか？」と長身が尋ねた。

「主にドラッグ」とサチは言った。「サーファーの中には、たちが悪いのもいるからね。マリファナくらいならまだいいけど、アイスなんかが出てくると大変なことになっちゃう」

「アイスってなんですか？」

「聞いたことないっすね」と長身が言った。

「あんたたちみたいな、なんにも知らないぽけっとしたのが、そいつらのいいカモになるのよ」とサチは言った。「アイスってのはね、ハワイに蔓延《まんえん》しているハードなドラッグで、私も詳しいことは知らないけど、覚醒剤《かくせいざい》の結晶みたいなもの。安くて簡単で、いい気持ちになるけど、一回はまりこんだらあとは死ぬしかない」

「あぶねえ」と長身が言った。

「あのー、マリファナなんかはやってもいいんすか？」とずんぐりが聞いた。

「いいかどうかは知らないけど、マリファナじゃ人は死なないからね」とサチは言った。「煙草《たばこ》で人は確実に死んでいくけど、マリファナじゃなかなか死なない。ただちょっとパアになるだけ。まああんたたちなら、今とそれほど変わりないと思うけど」

「ひどいこと言いますねえ」とずんぐりが言った。

「おばさん、ひょっとしてダンカイでしょう？」と長身が言った。

「なに、ダンカイって？」

「団塊の世代」

「なんの世代でもない。私は私として生きているだけ。簡単にひとくくりにしないでほしいな」

「ほらね、そういうとこ、やっぱダンカイっすよ」とずんぐりが言った。「すぐにムキになるとこなんか、うちの母親そっくりだもんな」

「言っとくけど、あんたのろくでもない母親といっしょにされたくないわね」とサチは言った。「とにかく、ハナレイではなるたけまともなところに泊まった方がいいよ。その方が身のためだから。殺人みたいなことも、ないわけじゃないんだし」

「平和なパラダイスっていうんでもないんだ」とずんぐりが言った。

「ああ、もうエルヴィスの時代とは違うからね」とサチは言った。

「よく知らないけど、エルヴィス・コステロってもうかなりのオヤジですよね」と長身が言った。

サチはそれからしばらく、何も言わずに運転をした。

サチは自分の泊まっているコテージのマネージャーに話をして、二人のために部屋をみつけてもらった。彼女の紹介ということで、週ぎめの料金をかなり安くしてくれた。しかしそれでも二人の考えていた予算にはあわなかった。

「だめですよ。俺たち、そんなに金もってないもの」と長身が言った。

「ぎりぎりの線で来てるんです」とずんぐりが言った。

「でも、非常用のお金、あるんでしょ？」とサチは言った。

長身が困ったように耳たぶを掻《か》いた。「ええ、ダイナースクラブの家族カード持ってますけど。これはほんとに非常の場合にしか使うなって、親父《おやじ》に釘《くぎ》をさされてるんです。使い出すときりないからって。非常のときじゃないのに使ったら、日本に帰ってからえらい叱《しか》られます」

「アホ」とサチは言った。「今が非常の場合なの。命が惜しかったら、さっさとカード使ってここに泊まりなさい。夜中に警察の手入れくらって、留置場に放り込まれて、相撲取りみたいなでかいハワイアンに、夜中におかま掘られたくないでしょ。そういう趣味があるんならもちろん話はべつだけど、けっこう痛いよ」

長身はすぐに財布の奥からダイナースクラブの家族カードを出して、コテージのマネージャーに渡した。サチはマネージャーに、どこか安い中古のサーフボードを売っているところはないかと尋ねてみた。マネージャーは店を教えてくれた。ここを出るときにはそれを適当な値段でまた買い取ってくれる、ということだった。二人は荷物を部屋に置くと、すぐにその店にボードを買いに行った。

翌日の朝、サチがいつものように砂浜に座って海を眺めていると、その日本人の若い二人組がやってきて、サーフィンを始めた。いかにも頼りなさそうな見かけに比べて、二人のサーフィンの腕は確かだった。力のある波を見つけてそれに素速く乗り、器用にボードをコントロールしながら、軽々と岸辺近くまでやってきた。それを何時間も飽きもせずに続けていた。波に乗っているときの彼らは、とても生き生きとして見えた。目が明るく輝き、自信に満ちていた。弱々しいところはまったくない。きっと学校の勉強なんかしないで、波乗りに明け暮れているのだろう。彼女の死んでしまった息子がかつてそうであったように。

サチがピアノを弾き始めたのは、高校生になってからだった。ピアニストとしてはずいぶん遅いスタートということになる。それまではピアノに手を触れたことさえなかった。しかし高校の音楽室にあったピアノを放課後に遊びでいじっているうちに、独学ですらすらとピアノが弾けるようになった。彼女にはもともと絶対音感が備わっていたし、耳も人並み外れてよかった。どんなメロディーでも一度聴けば、それをすぐ鍵盤《けんばん》のパターンに移し替えることができた。そのメロディーに合ったコードを見つけることもできた。誰に習ったわけでもないのに、十本の指は滑らかに動いた。彼女にはピアノを弾く才能が生まれつき自然に備わっていたのだ。

一人の若い音楽教師が、サチが音楽室のピアノをいじっているところを目にして感心し、運指についての基礎的な誤りを正してくれた。「それでも弾けるんだけど、こうした方がもっと速くなる」と彼は言って、実演してみせた。彼女はあっという間にそれを呑《の》み込んだ。その教師はジャズ・ファンだったので、ジャズ・ピアノを弾くための基礎的な理論を、放課後に伝授してくれた。コードはどのように成り立っており、どのように進行していくか。ペダルはどう用いればいいか。アドリブとはどのような概念なのか。彼女はすべてをどん欲に吸収していった。教師はまた、レコードを何枚か貸してくれた。レッド・ガーランド、ビル・エヴァンズ、ウィントン・ケリー。彼女は彼らの演奏を繰り返し聴いて、そっくりコピーした。いったん慣れてしまえば、コピーをするのはそれほどむずかしくなかった。彼女はそこにある音の響きと流れを、いちいち採譜することなしに、そのまま指で再現することができた。「君には才能がある。勉強すれば、プロのピアニストになれるよ」と教師は感心して言った。

しかしサチはプロのピアニストにはなれそうになかった。彼女にできるのはオリジナルを正確にコピーすることだけだったからだ。そこにあるものを、そこにあるとおりに弾くのは簡単だった。しかし自分自身の音楽を作り出すことができない。自由に弾いていいと言われても、何をどう弾けばいいのかわからない。自由に弾き始めると、それは結局のところ、何かのコピーになってしまった。彼女はまた、楽譜を読むのが苦手だった。細かく書きこまれた楽譜を前にすると、ひどく息苦しくなった。実際の音を聴いて、それをそのままピアノの鍵盤に移し替える方が遥《はる》かに楽だった。これじゃピアニストとしてはとてもやっていけない、と彼女は思った。

高校を出て、サチは料理を本格的に勉強することにした。料理にとくに興味があったわけではないが、父親がレストランを経営しており、ほかにとりたててやりたいこともなかったから、その店を継ごうかと思ったのだ。料理専門学校に通うためにシカゴに行った。シカゴはその洗練された料理《キュイジーヌ》によって世に知られている都市ではないが、そこにたまたま親戚《しんせき》が住んでいて、彼女の身元引受人になってくれた。

その学校で料理の勉強をしているうちに、同級生に誘われて、ダウンタウンの小さなピアノ・バーでピアノを弾くようになった。最初は小遣い稼ぎのための一時的なアルバイトのつもりだった。ぎりぎりの仕送りで暮らしていたので、少しでも余分な金が入るのはありがたかった。そして彼女はどんな曲でもすぐに弾けたので、店のオーナーにすっかり気に入られてしまった。一度耳にした曲は絶対に忘れなかったし、耳にしたことがない曲でも、メロディーを口ずさんでもらえば、その場で再現することができた。美人とは言えないが、愛嬌《あいきょう》のある顔立ちだったから、人気も出て、彼女を目当てにやってくる客も増えた。チップもけっこうな額になった。

やがて学校にも行かなくなった。血だらけの豚肉をさばいたり、かちかちのチーズをおろしたり、汚れた重いフライパンを洗っているより、ピアノの前に座っている方がずっと愉《たの》しかったし、らくだったからだ。

そんなわけだから息子が高校をほとんどドロップアウトして、サーフィンに明け暮れていたときも、まあ仕方あるまいと思った。私だって若いときには似たようなことをしてたんだ。人を責めることはできない。たぶんこういうのが血筋なんだろう、と。

そのピアノ・バーで一年半ばかりピアノを弾いていた。英語もしゃべれるようになったし、けっこう金も貯《た》まった。アメリカ人のボーイフレンドもできた。俳優志望のハンサムな黒人だった（後日『ダイ・ハード2』に彼が脇役《わきやく》で出演しているのをサチは目にした）。しかしある日、バッジを胸につけた入国管理局の係官が店にやってきた。彼女はいささか派手にやりすぎたのだ。パスポートを見せてくださいと係官は言った。そして不法就労ということで、彼女の身柄をその場で拘束した。そして数日後には成田行きのジャンボ・ジェットに乗せられていた——もちろん航空運賃は彼女が貯金の中から支払わなくてはならなかった。そのようにしてサチのアメリカ生活は終わりを告げた。

日本に戻って、今後の人生についていろんな可能性を考えてみたが、ピアノを弾く以外に生活の方法は思いつけなかった。楽譜を読むのが不得意だったせいで、仕事の場は限られていたが、どんな曲でも耳にしたまま再現できるという彼女の特技は、様々な場所で高く評価されることになった。彼女はホテルのラウンジや、ナイト・クラブや、ピアノ・バーでピアノを弾いた。その場の雰囲気や、客層や、リクエストにあわせて、どんなスタイルででも演奏することができた。まさに「音楽的カメレオン」というところだが、何はともあれ仕事に不自由することはなかった。

二十四歳のときに結婚して、二年後に男の子を産んだ。相手は一歳年下のジャズ・ギタリストだった。収入はほとんどなく、常習的にドラッグをやり、女癖も良くなかった。家に帰らないことも多く、家にいるときはしばしば暴力を振るった。誰もがその結婚に反対したし、結婚してからは離婚を勧めた。夫は荒削りではあるが、オリジナルな音楽的才能を持ち合わせており、ジャズの世界では若手の旗がしらとして注目を集めていた。たぶんサチは相手のそういうところに惹《ひ》かれたのだろう。しかし結婚は五年しか続かなかった。彼は別の女の部屋で、夜中に心臓発作を起こし、真っ裸のまま病院に運ばれる途中で死んだ。ドラッグのやりすぎということだった。

夫が死んでしばらくしてから、彼女は六本木に自分の小さなピアノ・バーを開いた。貯金もある程度あったし、内緒で夫にかけていた生命保険もおりた。銀行から金を借りることもできた。その銀行の支店長が、それまで彼女の働いていたピアノ・バーの常連客だったからだ。中古のグランド・ピアノを置き、そのかたちにあわせたカウンターを作った。目をつけていた有能なバーテンダー兼マネージャーの男を、ほかの店から高給で引き抜いた。彼女が毎晩ピアノを弾き、客はリクエストをしたり、彼女の伴奏にあわせて歌ったりした。ピアノの上にはチップを入れるための金魚鉢が置かれていた。近所のジャズ・クラブに出演したミュージシャンが立ち寄って、軽く演奏していくこともあった。常連客もついて、商売は予想以上に繁《はん》盛《じょう》した。借金も順調に返済することができた。結婚生活にはうんざりしていたから、再婚こそしなかったが、そのときどきにつきあう相手はいた。おおかたは妻帯者だったが、彼女にしてみればその方がむしろ気楽だった。そうこうするうちに息子は成長してサーファーになり、サーフィンをするためにカウアイ島のハナレイに行ってくると言い出した。気は進まなかったが、言い合いをするのにも疲れて、サチはしぶしぶ旅費を出してやった。長い論争は彼女の得意とするところではなかった。そして息子はそこで、力のある波が来るのを待っているときに、亀《かめ》を追って湾に入ってきた鮫《さめ》に襲われて、十九歳の短い生涯を閉じたのだ。

息子が死んだあと、サチは以前にも増して熱心に仕事をした。一年間ほとんど休みなく店に出てただただピアノを弾いた。そして秋の終わりになると三週間の休暇をとり、ユナイテッド航空のビジネス・クラスに乗ってカウアイ島に行った。彼女がいないあいだは、べつのピアニストがやってきて代理をつとめた。

ハナレイでもサチはときどきピアノを弾いた。あるレストランに小型のグランド・ピアノが置いてあり、週末になると五十代半ばの、もやしみたいな体型のピアニストがやってきて演奏した。『バリハイ』とか『ブルー・ハワイ』といったような人畜無害な音楽を主に演奏した。とくに腕のいいピアニストではなかったが、人柄は温かかったし、その温かみは演奏にもにじみ出ていた。サチはそのピアニストと親しくなり、ときどき彼のかわりにピアノを弾かせてもらった。もちろん飛び入りだからギャラは出なかったけれど、店の主人はワインとパスタ料理をサービスに出してくれた。彼女はピアノを弾くこと自体が好きだったのだ。鍵盤の上に十本の指を置くだけで、気持ちが広々とした。それは才能のあるなしに関係のないことだ。役に立つとか立たないとかの問題でもない。私の息子もたぶん波に乗りながら、同じような思いを抱いていたのかもしれない、とサチは想像する。

しかし正直なことを言えば、サチは自分の息子を、人間としてはあまり好きになれなかった。もちろん愛してはいた。世の中のほかの誰よりも大事に思ってはいた。しかし人間的には――それを自分で認めるまでにはずいぶん時間がかかったのだが――どうしても好意が持てなかった。もしあの子が血をわけた自分の息子でなかったら、まず近寄りもしないのではないかとサチは思った。わがままで、集中力がなく、やりかけたことを成し遂げることができない。真剣な話を避け、すぐに適当な嘘《うそ》をつく。勉強はほとんどしなかったから、学校の成績も惨憺《さんたん》たるものだった。多少なりとも身を入れてやっていたのはサーフィンだけだったが、それだっていつまで続いたかわかったものではない。甘い顔立ちだったから、つきあう女の子には不自由しなかったが、遊ぶだけ遊んで、飽きると玩具《おもちゃ》を捨てるみたいにあっさり捨てた。私がたぶんあの子をスポイルしてしまったのだろう、と彼女は思う。小遣いも与えすぎたのかもしれない。もっと厳しく育てるべきだったのかもしれない。でもだからといって、具体的にどのように厳しくすればよかったのか、彼女にはわからない。仕事が忙しすぎたし、男の子の心理や身体についてまったく知識がなかった。

彼女がそのレストランでピアノを弾いているときに、サーファー二人組が食事をとるためにやってきた。彼らがハナレイにやってきてから、六日目になっていた。二人はすっかり日焼けして、最初に見かけたときよりも心なしかたくましくなっていた。

「へえ、おばさん、ピアノ弾くんだ」とずんぐりが言った。

「すげえうまいっすねえ。プロなんだ」と長身が言った。

「遊びよ」とサチは言った。

「ビーズの曲とか知ってます？」

「知らないよ、そんなもん」とサチは言った。「でも、あんたたち、貧乏なんじゃないの？　こんな店で食事する金あるの？」

「ダイナース・カードがありますもん」と長身が得意そうに言った。

「それって、非常用じゃなかったの？」

「まあ、なんとかなりますよ。でも、こういうのって、一回使うとクセになっちゃうんですね。まったく親父《おやじ》の言うとおりだ」

「ほんと、気楽でいいよね」とサチは感心して言った。

「俺たち、おばさんに一回ごちそうしなくちゃと思ってたんすよ」とずんぐりが言った。「ほら、いろいろとヒトカタならぬお世話になっちゃったし、俺たちもうあさっての朝には日本に帰っちゃいますから、その前にお礼みたいなことをしておきたかったんです」

「だからさ、もしよかったら、今からここで一緒にメシ食いませんか？　ワインなんかもとっちゃいましょう。俺たちでおごります」と長身が言った。

「食事はもうさっき済ませた」とサチは言った。そして手にした赤ワインのグラスを上にあげた。「ワインも店からごちそうになっているしね。だから気持ちだけもらっとくよ」

大柄の白人の男が彼らのテーブルにやってきて、彼女の脇に立った。手にはウィスキーのグラスを持っていた。たぶん四十歳前後。髪は短い。腕は細めの電信柱くらいあり、そこに大きな龍の入れ墨が入っていた。その下にＵＳＭＣ（合衆国海兵隊）という文字が見える。かなり昔に入れたものらしく、色は薄くなっている。

「あんた、ピアノうまいな」と彼は言った。

「ありがとう」とサチは男の顔をちらっと見てから言った。

「日本人か？」

「そうだよ」

「俺は日本にいたよ。昔のことだけどな。イワクニに二年」

「へえ。私はシカゴに二年いた。昔のことだけど。それでおあいこだよね」

男は少し考えていた。それから冗談みたいなものだろうと見当をつけて笑った。

「なんかピアノ弾いてくれよ。景気のいいやつ。ボビー・ダーリンの『ビヨンド・ザ・シー』知ってるか？　歌いたいんだ」

「私はここで働いてるわけじゃないし、今はこの子たちと話をしてるの。ピアノの前に座っている髪の毛の薄い痩《や》せたジェントルマンが、この店専属のピアニストだよ。リクエストがあるんなら、彼に頼めばいいんじゃない？　チップを置くのを忘れないようにね」

男は首を振った。「あんなフルーツケーキには、へなへなのオカマ音楽しか弾けない。じゃなくて、あんたのピアノでしゃきっとやってもらいたいんだ。10ドルやるよ」

「500でもごめんだわね」とサチは言った。

「そうかい」と男は言った。

「そういうこと」とサチは言った。

「なあ、どうして日本人は自分の国を守るために戦おうとしないんだ？　なんで俺たちがイワクニくんだりまで行って、あんたらを守ってやらなくちゃならないんだ？」

「だからピアノくらい黙って弾けと」

「そういうことだ」と男は言った。そしてテーブルの向かいに座っている二人組の方を見た。「よう、お前らどうせ、役立たずの、頭どんがらのサーファーだろう。ジャップがわざわざハワイまで来て、サーフィンなんかして、いったいどうすんだよ。イラクじゃな――」

「ひとつあんたに質問があるんだけど」とサチが口をはさんだ。「さっきから頭に、ふつふつと疑問がわき起こってきててね」

「言ってみなよ」

サチは首をひねって、男の顔をまっすぐ見上げた。「いったいどういう風にしたら、あんたみたいなタイプの人間ができあがるんだろうって、ずっと考えてたのよ。生まれたときからそういう性格なのか、それとも人生のどっかで何かしらすごおく不快なことがあって、それでそうなってしまったのか、いったいどっちなんでしょうね？　自分ではどっちだと思う？」

男はそれについてまた少し考えていた。それからウィスキーのグラスを、テーブルの上にごつんという音を立てて置いた。「あのな、レイディー——」

その大きな声を聞きつけて、店のオーナーがやってきた。彼は小柄な男だったが、元海兵隊員の太い腕をとり、どこかに連れていった。知り合いらしく、男も抵抗はしなかった。ひと言ふた言、捨てぜりふを残していっただけだった。

「すまなかったね」、少し後でオーナーが戻ってきてサチに詫《わ》びた。「ふだんは悪いやつじゃないんだけど、酒が入ると人が変わる。あとでよく注意しておくよ。店からなんかサービスするから、不快なことは忘れてくれ」

「いいよ、ああいうの慣れてるから」とサチは言った。

「あの男、いったいなんて言ってたんすか？」とずんぐりがサチに尋ねた。

「何言ってるのか、ぜんぜんわかんなかったな」と長身が言った。「ジャップってのは聞こえたけど」

「わかんなくていいよ。そんなたいしたことじゃないから」とサチは言った。「ところであんたたち、ハナレイで気楽にサーフィンしまくって楽しかった？」

「すげえ楽しかった」とずんぐりが言った。

「サイコーだったす」と長身が言った。「人生がころっと変わったような気がしますよ。ほんとの話」

「それは何より。楽しめるときにめいっぱい楽しんでおくといい。そのうちに勘定書きがまわって来るから」

「大丈夫っすよ。こっちにはカードありますから」と長身が言った。

「あんたたち、気楽でいいよ」とサチは言って首を振った。

「ねえ、おばさん、ちょっと聞いていいですか？」とずんぐりが言った。

「なに？」

「おばさん、ここで片脚の日本人のサーファーって見ました？」

「片脚の日本人のサーファー？」、サチは目を細め、ずんぐりの顔を正面から見た。

「いや、見なかったわね」

「俺たち二度ばかり見かけたんです。ビーチから俺たちのことをじっと見てました。ディック・ブリュワーの赤いサーフボードを持ってるんだけど、脚がここんとこから下、ないんです」、ずんぐりは膝《ひざ》の十センチばかり上に指で線を引いた。「すっぱりと切断されたみたいに。そいで、俺たちが浜に上がると、もうどこにもいないんです。姿が見えない。話をしてみたかったから、けっこうマジに探したんだけど、見あたらなかった。年頃はたぶん俺たちくらいじゃないかと思うんだけど」

「それってどっちの脚だった？　右、それとも左？」

ずんぐりは少し考えた。「ええと、たしか右でした。そうだったよな？」

「うん、右だった。間違いなく」と長身が言った。

「ふうん」とサチは言った。そしてワインで口の中を湿した。心臓が硬い音を立てていた。「本当に日本人だったの？　日系とかじゃなくて」

「間違いないっす。そういうのって、見たらすぐわかるから。あれ、日本から来たサーファーっすよ。俺たちみたく」と長身が言った。

サチはしばらく唇を強く嚙《か》んでいた。それから乾いた声で言った、「でも変だよね。このとおり狭い町だから、片脚の日本人のサーファーなんてのがいたら、いやでも目につくと思うんだけど」

「そうっすよね」とずんぐりは言った。「そういうのってがんがん目立ちますものね。だから変だってことはわかるんです。でも本当にいたんすよ。間違いなく。ちゃんと俺たち二人で見たんだから」

長身が言った。「おばさんもしょっちゅうビーチに座ってますよね。いつも同じ場所に。そこからちょっと離れたところに、そいつは片脚で立ってました。そして俺たちのことを見ていました。木の幹にもたれるようにして。ピクニック・テーブルがあって、アイアン・ツリーが何本かかたまってあるかげのあたり」

サチは何も言わずにワインをひとくち飲んだ。

「でもさ、どうやって片脚でボードの上に立つんでしょうね？　わかんないすよ。両脚でだってずいぶん大変なんだけどなあ」とずんぐりが言った。

サチはそれから毎日、朝早くから暗くなるまで、長いビーチを何度も往復して歩いた。しかし片脚のサーファーの姿はどこにもなかった。地元のサーファーたちに「片脚の日本人のサーファーを見たことある?」と尋ねてまわった。しかし誰もが変な顔をして首を振った。片脚の日本人のサーファー? いや、そんなの見かけたことないねえ。もちろん見たら覚えているよ。目立つもの。でもいったいどうやって片脚でサーフィンやるわけ?

日本に帰る前の夜、サチは荷造りを済ませてからベッドに入った。ゲッコーの鳴く声が波の音に混じっていた。気がつくと目から涙がこぼれていた。枕《まくら》が濡《ぬ》れていることで、初めて自分が泣いていることに思い当たった。どうして私には息子の姿を目にすることができないのだろう、と彼女は泣きながら思った。どうしてあの二人のろくでもないサーファーにそれが見えて、自分には見えないのだろう? それはどう考えても不公平ではないか? 彼女は遺体安置所に置かれていた息子の遺体を思い浮かべた。できることならその肩を思い切り揺すって起こし、大声で問いただしてみたかった。ねえ、どうしてなの? そういうのってちょっとあんまりじゃないの、と。

　サチは長いあいだ濡れた枕に顔をうずめ、声を押し殺していた。私にはその資格がないのだろうか？　彼女にはわからない。彼女にわかるのは、何はともあれ自分がこの島を受け入れなくてはならないということだけだった。あの日系の警官が静かな声で示唆《しさ》したように、私はここにあるものをそのとおり受け入れなくてはならないのだ。公平であれ不公平であれ、資格みたいなものがあるにせよないにせよ、あるがままに。サチは翌朝、健康な一人の中年女性として目を覚ました。そしてスーツケースをダッジ・ネオンの後部席に積み込み、ハナレイ・ベイをあとにした。

　日本に帰ってきて八ヶ月ばかりして、サチは東京の街でずんぐりに出会った。六本木の地下鉄駅近くのスターバックスで、雨宿りにコーヒーを飲んでいると、近くのテーブルにずんぐりが座っていた。アイロンのかかったラルフ・ローレンのシャツに、新品のチノパンツという小ぎれいな格好で、小柄な顔立ちのいい女の子が一緒だった。

「やあ、おばさん」、彼は嬉《うれ》しそうな顔で、席を立って彼女のテーブルにやってきた。「キグウっすねえ。こんなところで会うなんて」

「よう、元気にしてる？」と彼女は言った。「髪がずいぶん短くなったじゃない」

「もうそろそろ大学も卒業っすからね」とずんぐりは言った。

「ふうん、あんたでもちゃんと卒業できるんだ？」

「ええ、まあ、こう見えていちおうそのへんは押さえてますから」、そして向かいの席に腰をおろした。

「サーフィンはやめたの？」

「たまに週末にやってますが、就職のこともありますし、そろそろ足を洗わないと」

「ひょろひょろの友だちは？」

「あいつは超気楽なんですよ。就職の心配ありません。親は赤坂でけっこうでかい洋菓子屋をやってんです。うちを継いだらＢＭＷ買ってくれるんだって。いいっすよね。俺の場合、そうはいきませんから」

彼女は外に目をやった。夏の通り雨が路上を黒く濡らしていた。道路は渋滞して、タクシーが苛立《いらだ》たしくクラクションを鳴らしていた。

「あそこにいる子は恋人？」

「ええ、ていうか、まだ今のところ発展途上なんですけど」とずんぐりは頭を掻《か》きながら言った。

「けっこうかわいいじゃないの。あんたにはちょっともったいないね。なかなかやらせてもらえないんじゃない？」

彼は思わず天井を仰いだ。「相変わらずひでえことを、遠慮なくきっぱりと言いますねえ。でもさ、たしかにそうなんです。なんかいいアドバイスってありません？うまくこう、彼女とのあいだをぐっと発展させるための」

「女の子とうまくやる方法は三つしかない。ひとつ、相手の話を黙って聞いてやること。ふたつ、着ている洋服をほめること。三つ、できるだけおいしいものを食べさせること。簡単でしょ。それだけやって駄目なら、とりあえずあきらめた方がいい」

「それって、すげえ現実的でわかりやすいですね。手帳に書き留めといていいですか？」

「いいけどさ、それくらい頭で覚えられないの？」

「いや、ニワトリとおんなじで、三歩あるくと記憶が全部ころっと消えちまうんです。だから何でも書き留めます。アインシュタインもそうしてたそうですよ」

「アインシュタインねえ」

「忘れっぽいことは問題じゃないんです。忘れることが問題なんです」

「なんでもお好きに」とサチは言った。

ずんぐりはポケットから手帳を取り出して、彼女の言ったことを丁寧にメモした。

「いつもご忠告ありがとうございます。助かります」と彼は言った。

「うまくいくといいけどね」

「がんばりますよ」とずんぐりは言った。そして自分のテーブルに戻るために立ち上がり、ちょっと考えてから手を差し出した。「おばさんもがんばってください」

サチはその手を握った。「あのさ、あんたたち、ハナレイ・ベイで鮫《さめ》に食われなくてほんとによかったよね」

「あの、あそこって鮫出るんですか。マジに？」

「出るよ」とサチは言った。「マジに」

サチは毎晩、88個の象牙《ぞうげ》色《いろ》と黒の鍵盤《けんばん》の前に座り、おおむね自動的に指を動かす。

そのあいだほかのことは何も考えない。ただ音の響きだけが意識を通り過ぎていく。こちら側の戸口から入ってきて、向こう側の戸口から出ていく。ピアノを弾いていないときには、秋の終わりに三週間ハナレイに滞在することを考える。打ち寄せる波の音と、アイアン・ツリーのそよぎのことを考える。貿易風に流される雲、大きく羽を広げて空を舞うアルバトロス。そしてそこで彼女を待っているはずのもののことを考える。彼女にとって今のところ、それ以外に思いめぐらすべきことはなにもない。ハナレイ・ベイ。

どこであれそれが見つかりそうな場所で

「夫の父は三年前に、都電に轢《ひ》かれて亡《な》くなりました」とその女は言った。そして少し間を置いた。

私は感想はとくに述べなかった。まっすぐ相手の目を見て小さく二度うなずいただけだった。そして彼女が間をおいているあいだ、ペン皿に並んだ半ダースばかりの鉛筆の尖《とが》り具合を点検した。ゴルファーが距離にあわせてクラブを見繕うように、慎重に一本の鉛筆を選んだ。尖りすぎても、丸くなりすぎてもいないものを。

「お恥ずかしい話ですが」と女は言った。

私はそれについても意見を述べなかった。メモ用紙を手元に寄せ、鉛筆をテストするために、そのいちばん上に今日の日付と相手の名前を書き入れた。

「東京には今ではもうほとんど路面電車は走っていません。すべてバスに代えられました。でも一部ではまだ残されています。一種の記念品のような感じで。義父はそれに轢かれてしまったわけです」、彼女はそう言って、無音のため息をついた。

「三年前の十月一日の夜。すごい雨が降っていました」

私は鉛筆で、メモ用紙に簡単に情報を控えた。父親、三年前、都電、大雨、10／01、夜。私は丁寧にしか字が書けないので、記述するのに時間がかかる。

「義父はそのときずいぶん酒に酔っていました。でなければ、大雨の夜に都電の線路になんか寝ころんでいなかったと思います。当たり前の話ですが」

そう言ってから、女はまたひとしきり黙った。唇をまっすぐに結び、じっと私の方を見ている。たぶん同意を求めているのだろう。

「もちろんです」と私は言った。「かなり酔っておられたんでしょうね」

「意識がなくなるほど酔っていたようです」

「お父さんはよくそういう風になられたのですか？」

「つまり、しょっちゅう意識がなくなるくらい酔っぱらっていたか、ということでしょうか？」

私はうなずいた。

「たしかにときどきかなり酔っぱらってはおりました」と女は認めた。「でもしょっちゅうではありませんし、都電の線路の上で寝込むほどでもありません」

いったいどれくらい酔っぱらえば路面電車のレールの上で寝込めるものなのか、私にはうまく判断できなかった。それは程度の問題なのだろうか、質の問題なのだろうか、あるいは方向性の問題なのだろうか？

「つまり酔っぱらうことはあったとしても、普段はそんなにひどく泥酔《でいすい》はしなかったということですね？」と私は尋ねた。

「そのように理解しております」と女は言った。

「失礼ですがおいくつになられますか？」

「私の年齢をお尋ねになっていらっしゃるのですか？」

「そうです」と私は言った。「もちろんお答えになりたくなければ、お答えにならなくてけっこうです」

女は鼻に手をやり、人差し指で鼻梁《びりょう》をこすった。筋の通ったきれいな鼻だった。それほど遠くない昔に鼻の整形手術をしたのかもしれない。私は同じクセを持っている女としばらくつきあっていたことがある。彼女も鼻の整形手術をしており、考えごとをするときにはいつも、鼻梁を人差し指でこすった。新品の鼻がまだきちんとそこにあることを確かめるみたいに。そんなわけでその仕草を見ていると、私は軽いデジャヴュに襲われることになった。それにはオーラル・セックスも少なからず関与していた。

「べつに隠す必要はありません」と女は言った。「35歳になります」

「お父様は亡くなったとき、おいくつだったんですか？」

「68歳でした」

「お父様は何をしておられたのですか？　お仕事は」

「僧侶《そうりょ》でした」

「僧侶といいますと……、仏教のお坊さんということですか？」

「そうです。仏教の僧侶です。浄土宗。豊島区でお寺の住職をしておりました」

「それはずいぶんショックだったでしょうね？」と私は尋ねた。

「義父が酔っぱらって都電に轢かれたことがですか？」

「そうです」

「もちろんショックでした。とくに夫にとっては」と女は言った。

私はメモ用紙に鉛筆で「68歳、僧侶、浄土宗」と書いた。

女は二人がけのソファの端に腰を下ろしていた。私は机の前の回転椅子《いす》に座っていた。私たちのあいだには二メートルほどの距離があった。彼女はとてもシャープなかたちをしたヨモギ色のスーツを着ていた。ストッキングに包まれた脚は美しく、黒のハイヒールがよく似合っていた。そのかかとは致死的な凶器のようにとがっている。

「それで――」と私は言った。「あなたのご依頼は、そのご主人の亡くなったお父様に関する何かなのでしょうか？」

「いいえ。そうではありません」と女は言った。そして否定形を再確認するように小さく堅く首を振った。「私の夫についてです」

「ご主人もお坊さんなのですか？」

「いいえ。夫はメリルリンチに勤めています」

「証券会社の？」

「そうです」と女は答えた。その声にはいくらか苛立《いらだ》ちが感じられた。証券会社ではないメリルリンチがどこの世界にあるのか――というような。「いわゆるトレーダーをやっております」

私は鉛筆の先端の減り具合を確かめ、何も言わず、話の続きを待った。

「夫は一人息子でしたが、仏教よりは証券取引により強い興味を持っていたので、父親のあとを継いで住職にはなりませんでした」

それは当然のことでしょう、と問いかけるように彼女は私を見たが、私は仏教にも証券取引にもとくに興味は持っていないので、感想は述べなかった。お話はちゃんとうかがっていますよ、という中立的な表情を顔に浮かべただけだった。

「義父が亡くなったあと、義母が私たちの住んでいる品川区のマンションに越してきました。同じマンションの別のユニットにです。私たち夫婦は26階に住んでおりまして、義母は24階に住んでいます。一人暮らしです。それまでは義父と二人でお寺に暮らしていたのですが、本山から別の方が派遣されてきまして、住職を引き継ぐことになったものですから、こちらに越して参りました。義母は現在63歳です。ついでに申し上げますと、夫は40歳です。何ごともなければ、来月で41歳になります」

義母24階、63歳、夫40歳、メリル・リンチ、26階、品川区、と私はメモ用紙に書いた。女は私がそれだけ書き終えるのを我慢強く待っていた。

「義母は、義父が死んでから、不安神経症のようになりました。とくに雨が降りますと、症状が強く出ます。たぶん義父が雨の夜に亡くなったからでしょう。そういうことはよくありますから」

私は軽くうなずいた。

「症状が強くなると、頭のどこかしらの部分でボルトがちょっとゆるんだような状態になります。電話がかかってきます。電話がかかってくると、私か夫が二階下の義母の部屋に行って、面倒を見ることになります。なだめると申しますか、説得すると申しますか……。夫がいれば夫が行きますし、夫がいなければ私が行きます」

彼女は間を置いて、私の反応を待った。私は黙っていた。

「義母は悪い人ではありません。私は決して義母の人間性に対して否定的な意見を持っているわけではありません。ただ神経が細く、長い歳月にわたって誰かに頼ることになれてきたのだということなのです。そのあたりの状況はだいたいご理解いただけましたでしょうか？」

「理解できたと思います」と私は言った。

彼女は素速く足を組み替え、私が何かをメモ用紙に書き留めるのを待っていた。でも今回私は何も書き留めなかった。

「電話がかかってきたのは、日曜日の朝の十時でした。その日も雨がかなり強く降っていました。この前の、その前の日曜日です。今日が水曜日ですから、えーと、今から十日ほど前ということになります」

私は卓上カレンダーに目をやった。「九月三日の日曜日ですね？」

「そうです。たしか三日だったと思います。その日の朝の十時に義母から電話がかかってきました」と女は言った。そして回想するように目を閉じた。アルフレッド・ヒッチコックの映画なら、画面がぐらりと揺れてここから回想シーンが始まるところだ。でも映画ではないから、もちろん回想シーンは始まらず、彼女はやがて目を開けて話の続きにかかった。「夫が電話に出ました。その日はゴルフに出かける予定だったのですが、未明からの強い雨のために取りやめになり、家にいたのです。もしその日が晴れていたら、このような事態の到来はなかったはずです。もちろんすべては結果論ですが」

9／3、ゴルフ、雨、中止、母親→電話、と私はメモ用紙に書き記した。

「義母は夫に、息がうまくできないと言いました。めまいがして、椅子から起きあがることもできないと。それで夫は髭《ひげ》も剃《そ》らず、服だけを着替えて、二階下の母親の部屋に行きました。たぶんそんなに時間はかからないと思うから、朝食の支度をしておいてくれないかな、と夫は部屋を出がけに言いました」

「ご主人はどんなかっこうでした？」、私はそう質問した。

彼女はまた鼻を軽くこすった。「半袖《そで》のポロシャツに、チノパンツ。シャツはダーク・グレーで、ズボンはクリーム色。どちらもたしかJクルーの通信販売で買ったものです。夫は近視で、いつも眼鏡をかけています。アルマーニの金属縁のものです。靴はグレーのニューバランス。靴下ははいていません」

私はその情報をメモに細かく書き留めた。

「身長と体重もお知りになりたいですか？」

「わかれば助力になります」と私は言った。

「身長は173センチ、体重は72キロくらいだと思います。結婚前は62キロしかなかったのですが、10年のあいだに少しばかり肉がつきました」

私はその情報もメモした。そして尖り具合を確かめ、鉛筆を新しいものに取り替えた。新しい鉛筆を指に馴染《なじ》ませる。

「話を続けてよろしいですか？」と女が尋ねた。

「どうぞ、続けて下さい」と私は言った。

女は脚を組み替えた。「電話がかかってきたとき、私はパンケーキを焼く用意をしておりました。日曜日の朝にはいつもパンケーキを作ることにしています。夫はパンケーキが好きなのです。かりかりに焼いたベーコンもつけます」

10キロ体重が増えるのも無理はないなと私は思ったが、もちろんそんなことは口に出さなかった。

「25分後に夫から電話がかかってきました。母親の状態もだいたい落ち着いたので、今から階段を上ってうちに戻る。すぐ食べられるように朝食の用意をしておいてくれ。お腹が空《す》いたよ、と夫は言いました。そう言われて、私はすぐにフライパンを温めてパンケーキを焼き始めました。ベーコンも炒《いた》めました。メープルシロップも適温にあたためました。パンケーキというのは決して複雑な料理ではありませんが、そこでは手順とタイミングがすべてなのです。でも待てど暮らせど夫は戻ってきません。パンケーキはお皿の上でどんどん冷めて固くなっていきます。それで義母のところに電話をかけてみました。夫はまだそちらにいるのでしょうかと。もうずっと前に帰った、と義母は言いました」

彼女は私の顔を見た。私は黙って話の続きを待った。女はスカートの膝《ひざ》の上にある形而上《けいじじょう》的なかたちをした架空のごみを手で払った。

「夫はそこで消えてしまったのです。煙のように。それ以来まったく音沙汰《さた》はありません。24階と26階を結ぶ階段の途中で、痕跡《こんせき》も残さず、私たちの前から姿を消してしまったのです」

「もちろん警察には届けられましたよね？」

「当然です」と女は言って、唇をわずかにゆがめた。「午後の一時になっても戻ってこなかったので、警察に電話をかけました。しかし正直言って、警察はそれほど熱心に捜査をしてくれませんでした。近所の交番のお巡りさんが見えたのですが、暴力犯罪の形跡が見あたらないことがわかると、すぐに興味をなくしてしまいました。二日ほど待って、それでもまだご主人がお帰りにならないようなら、本署に行って失踪人《しっそうにん》の届けを出して下さいと言われました。警察はどうやら、夫は衝動的にふらっとどこかに行ってしまったのだろうと考えたみたいでした。人生に嫌気がさすとか、どこか別のところに消えてしまいたいとか。しかし考えてもみてください。そんな筋の通らない話はありません。夫は財布も免許証もクレジット・カードも時計も持たず、まったくの手ぶらで母親のところに出向きました。髭さえ剃っていません。そして今から帰るのでパンケーキを焼いておいてくれと、電話をかけてきたんです。これから家出をする人間が、そんな電話をかけるわけがありません。そうじゃありません？」

「まったくそのとおりです」と私は同意した。「ところで24階に行くとき、いつもご主人は階段をお使いになるのですか？」

「夫は、エレベーターをいっさい使いません。エレベーターというものが嫌いなんです。あんな狭いところに密閉されることに我慢できないと言っていました」

「しかしそれなのに、お住まいは26階という高層階を選ばれたわけですね？」

「はい。夫は26階ぶんの上下にも、常に階段を使います。階段の上り下りはとくに苦にならないようです。それで足腰も強くなりますし、減量にも役立ちます。もちろん行き来にそれなりの時間はかかりますが」

パンケーキ、10キロ、階段、エレベーター、と私はメモに書いた。私は焼きたてのパンケーキと、階段を歩いている男の姿を思い浮かべた。

女は言った、「いちおう私どもの事情はこのようなところです。お引き受けいただけますでしょうか？」

いちいち考えるまでもない。それはまさに私が求めていたケースだった。しかし私はスケジュール表をひととおりチェックし、何かを調整するようなふりをした。飛びつくみたいに簡単に引き受けたら、裏があるんじゃないかと勘ぐられてしまう。

「今日は午後まで、うまい具合に時間があいています」と私は言った。そして腕時計に目をやった。11時35分だ。「もしよろしければ、これからお住まいに案内いただけますか？　ご主人が最後におられた現場を見ておきたいので」

「もちろんご案内します」と女は言った。それから軽く眉《まゆ》をしかめた。「それはお引き受け頂けるということなのでしょうか？」

「お引き受けしたいと思います」と私は言った。

「ただ、私たちは料金のお話をまだしていなかったと思うのですが」

「料金は不要です」

「なんておっしゃいました？」、女は私の顔をじっと見た。

「無料だ、ということです」、私はそう言って微笑《ほほえ》んだ。

「でも、これがあなたのご職業なのでしょう？」

「いいえ、違います。これは私の職業じゃありません。あくまで個人的なボランティアです。ですから料金はかかりません」

「ボランティア？」

「そのとおりです」

「しかしそれにしても、必要経費とかそういうものが……」

「必要経費もまったくいただきません。純粋なボランティアですから、どのようなかたちにせよ、金銭の授受は発生しません」

女はまだよく呑《の》み込めないという顔をしていた。

私は説明した。「幸運なことに、私にはべつの方面で発生する、生活するのに十分な収入があります。金銭を得ることが私の目的ではありません。私は個人的に、消えた人を捜すことに関心を持っているのです」。正確に言えば、ある種の消え方をした人を、ということになる。しかしそんなことを言い出すと、話がややこしくなる。「そして私にはいささかの能力があります」

「宗教的なバックグラウンドみたいなことがあるのでしょうか？　あるいはニューエージ的なものとか？」と女は尋ねた。

「いいえ、宗教ともニューエージ的なものとも、まったく関係しておりません」

女は自分のはいているハイヒールの鋭いかかとにちらりと目をやった。何か道理に外れたことがあったら、それを手に私に襲いかかるつもりなのかもしれない。

「無料《ただ》のものは決して信用するな、と夫は常々申しておりました」と女は言った。

「このような言い方は失礼かもしれませんが、たいていどこかに見えない紐《ひも》がついているから、ろくなことにはならないと」

「一般的なことを申し上げれば、ご主人のおっしゃるとおりです」と私は言った。「この高度に発展した資本主義の世界にあっては、ただのものは簡単に信用してはならない。実にそのとおりです。しかしそれにもかかわらず、私のことは信用していただきたいと思います。それを受け入れていただくところから話が始まります」

彼女はとなりに置いてあったルイ・ヴィトンのパースを手に取り、上品な音を立ててジッパーを開け、中から分厚い封筒を取りだした。封筒には封がしてあった。

正確な額まではわからないが、けっこう重そうに見えた。

「とりあえずの調査費用ということで念のために持参したのですが」

私は固く首を振った。「私は金銭や、謝礼の物品あるいは行為を、いっさい受け取りません。それがルールです。料金や謝礼を受け取ると、私がこれからなそうとしている行為は意味をなくしてしまいます。もしあなたに余分なお金があり、無料ではどうしても気持ちが落ち着かないとおっしゃるのであれば、そのお金をどこかの慈善団体に寄付して下さい。動物愛護協会とか、交通遺児育英基金とか、どこでもかまいません。それであなたの精神的な負担がいくらかでも軽減されるというのであれば」

女は顔をしかめ、深く息をつき、何も言わずに封筒をパースに戻した。そして膨らみと落ち着きを取り戻したルイ・ヴィトンのパースを、もとあった場所に戻した。それからまた鼻梁《びりょう》に手をやり、まるで棒を投げても取りにいかない犬を見るような目で私を見た。

「あなたがこれからなそうとしている行為」と彼女はどことなく乾燥した声で言った。

私はうなずき、先の丸くなった鉛筆をペン皿に戻した。

とがったハイヒールをはいた女は、私をマンションの24階と26階を結ぶ階段部分に案内してくれた。彼女は自分の住居ユニットのドアを示し（２６０９号室）、それから義母の住んでいる住居ユニットのドアを示した（２４１７号室）。二つの階は広い階段で結ばれていた。行き来には、ゆっくり歩いても五分はかからない。

「夫がこのマンションを買うことに決めたのには、階段が広くて明るいという理由もありました。多くの高層マンションは階段部分に手を抜きます。広い階段は場所をとりますし、ほとんどの住民は階段を使わず、エレベーターを使用するからです。ですからマンション業者の多くはもっと人目につくところに趣向をこらします。たとえばロビーに豪華な大理石を使ったり、ライブラリを設けたり。しかし階段は何よりも大事だというのが夫の考え方でした。階段というのは建物の背骨のようなものなのだと」

たしかに存在感のある階段だった。25階と26階とのあいだの踊り場には、三人掛けのソファが置かれ、壁には大きな鏡がとりつけられていた。スタンド付きの灰皿があり、観葉植物の鉢も置かれていた。広い窓からは晴れた空といくつかの雲が見えた。窓は開かないようにはめ殺しになっていた。

「どの階にもこういうスペースがあるのですか？」と私は尋ねてみた。

「いいえ。五階につきひとつ、こういう休憩用の場所があります。どの階にもあるというわけじゃありません」と女は言った。「うちのユニットと、義母のユニットの内部をごらんになられますか？」

「いいえ、今のところその必要はないと思います」

「夫がこのように説明もなく姿を消してしまってから、義母の精神の具合は以前よりさらに悪化しています」と女は言った。そして手を軽くひらひらさせた。「それはずいぶんショックだったのです。言うまでもないことですが」

「もちろんです」と私は同意した。「この調査のためにお母様にご負担をおかけすることは、おそらくないと思います」

「そうしていただけると助かります。それから近所の方にも、このことは内聞にしておいてください。夫が消えたことは誰にも言っておりませんので」

「承知しました」と私は言った。「ところで奥さんは普段この階段をお使いになりますか？」

「いいえ」と彼女は言った。そして故のない非難を受けたかのように、眉を微《かす》かに上げた。「私は普通にエレベーターを使います。夫と一緒に出かけるときは、先に夫を階段で行かせて、私はエレベーターで下に降ります。そしてロビーで待ち合わせます。うちに帰るときは、私が先にエレベーターで上がります。あとから夫がやってきます。ヒールのある靴で長い階段を上下するのは危険ですし、身体《からだ》にもよくありません」

「そうでしょうね」

しばらく一人で調べものをしたいのだが、管理人にひとこと断っておいてもらえないだろうか、と私は彼女に言った。24階と26階のあいだの階段部分をうろうろしているのは、保険関係の調査をしている人間だとでも言っておいてください。空き巣ねらいかと疑われて、警察に通報されたりすると、私としてはいささか困ったことになる。私には立場と呼べるほどのものがないからだ。言っておく、と彼女は言った。そしてハイヒールの音を攻撃的に響かせながら、階段を上って消えていった。彼女の姿が見えなくなったあとも、そのヒールの音は不吉な布告を打ちつける釘《くぎ》みたいな感じであたりに響いていたが、やがてそれも消え、沈黙がやってきた。私は一人になった。

私は26階と24階のあいだの階段を三度、歩いて往復した。最初は普通に人が歩くくらいの速度で。あとの二回はゆっくりと、注意深くあたりを観察しながら。私は意識を集中し、どんな些細《ささい》なものごとも見落とさないように心がけた。ほとんど瞬《まばた》きもしなかったくらいだ。すべての出来事はあとにしるしを残していく。そのしるしを見つけだすのが私のひとまずの仕事だ。しかし階段部分は実に念入りに掃除されており、ごみひとつ落ちていなかった。しみひとつ、へこみひとつ見つからない。灰皿にも煙草《たばこ》の吸い殻はない。

ほとんど瞬きもせずに階段を往復することに疲れると、私は休憩用スペースのソファに腰を下ろした。それほど上等とは言えないビニール張りのソファだった。しかしこういうものが、ほとんど誰も使用していない（ように見える）階段の踊り場にちゃんと用意されているだけでも、賞賛は受けるべきだろう。ソファの真向かいの壁に大きな姿見がとりつけられていた。鏡の表面は曇りひとつなく磨き上げられている。光もうってつけの角度で窓から差し込んでいる。私はそこに映った自分の姿をしばらく眺めてみた。その日曜日の朝、消えたトレーダーもあるいはここで一休みして、そこに映る自分の姿を眺めたかもしれない。まだ髭《ひげ》を剃《そ》ってもいない自分の姿を。

私の場合、髭は剃っていたが、髪がいささか伸びすぎていた。耳の後ろのところがはねあがっていて、さっき川を渡り終えたばかりの長毛狩猟犬みたいに見えなくもない。近いうちに床屋に行かなくてはならない。それからズボンと靴下の色が合っていない。色の合う靴下がどうしても見つからなかったのだ。そろそろまとめて洗濯をしたとしても、誰もそのことで私を非難したりはしないはずだ。それ以外は、いつもどおりの私に見えた。年齢は45歳、独身。証券取引にも仏教にも興味はない。

そういえばポール・ゴーギャンも株式仲買人をしていた、と私は思った。でも真剣に絵が描きたくなって、ある日妻子を残して一人でタヒチに行ってしまった。ひょっとしたら……と私は思った。しかしたとえゴーギャンだって、財布を置いていかないだろうし、もしそのころにアメリカン・エキスプレスのカードがあったなら、それも忘れずに持っていくだろう。何しろタヒチにいくのだから。それに「今から帰るから、パンケーキを焼いておいてくれ」と妻に言い残してからどこかに消えたりはしないはずだ。同じ消えるにしても、そこには妥当な順序なり体系のようなものがあるはずだ。

私はソファから立ち上がり、今度は焼きたてのパンケーキのことを考慮しながら、もう一度階段を上った。私はどこまでも意識を集中し、想像した。自分は40歳の証券会社の社員で、今は日曜日の朝で、外では強い雨が降っていて、これからパンケーキを食べにうちに帰ろうとしているのだと。そうしているうちに、だんだん真剣にパンケーキが食べたくなってきた。考えてみたら、朝起きて小さなりんごをひとつ食べたきり何も口にしていないのだ。

このまま「デニーズ」に行って、パンケーキを食べようかとさえ思った。車でここに来る途中、道路沿いに「デニーズ」の看板を見かけたことを思い出したのだ。ここから歩いて行けるくらいの距離にある。「デニーズ」のパンケーキはとくにおいしいというものではないが（バターの質も、メープルシロップの味も、好ましいレベルにはない）、それでも我慢できそうな気がした。実を言うと、私もパンケーキは好きだ。口の中にじんわりと唾《つば》がわいてくる感触があった。しかし私は強く首を振って、パンケーキのイメージを頭から一掃した。窓を開けて妄想の雲を吹き払った。パンケーキを食べるのはあとだ、と自分に言い聞かせた。その前にやらなくてはならないことがある。

「彼女に質問しておくべきだったな」と私はひとり言を言った。「ご主人に何か趣味があったかどうか。ひょっとしたら絵を描いたかもしれないものな」

でも家庭を捨てて家出するほど絵を描くのが好きな男は、日曜日ごとに朝からゴルフに出かけたりはしないだろうと、私は思い直した。ゴルフシューズを履いたゴーギャンやゴッホやピカソが、10番ホールのグリーンの上に膝《ひざ》をついて、熱心に芝目を読んでいる姿が想像できるか？　できない。夫はただ消えてしまったのだ。24階と26階のあいだで、おそらくはまったく予定外の事情によって（そのときの彼にとりあえずの予定はパンケーキを食べることにあったのだから）。そういう仮定のもとに話を進めていくことにしよう。

私はもう一度ソファに腰を下ろし、腕時計を見た。1時32分だ。私は目を閉じ、意識の焦点を頭脳の特定の場所に合わせた。そして何も考えず、そのまま時間の流砂に身を任せた。身じろぎもせず、その流れが私をどこかに運ぶがままにさせておいた。それから目を開けて腕時計を見た。針は1時57分を指していた。25分がどこかに消滅していた。悪くない、と私は思った。効用のない摩耗。ぜんぜん悪くない。

私はもう一度鏡に目をやった。そこにはいつもと同じ私が映っていた。私が右手を挙げると、その像は左手を挙げた。私が左手を挙げると、その像は右手を挙げた。私が右手を下ろすようなふりをしてさっと左手を下ろすと、その像は左手を下ろすようなふりをしてさっと右手を下ろした。問題はない。私はソファから立ち上がり、ロビーまで階段を25階ぶん歩いて降りた。

それから毎日午前11時頃に、私はその階段を訪れた。マンションの管理人と顔見知りになり(手みやげの菓子を持っていった)、建物に自由に出入りできるようになった。24階と26階とを結ぶ階段部分を、二百回くらい歩いて往復した。歩き疲れると踊り場のソファで休み、窓から見える空を眺め、鏡に映る自分の姿を点検した。私は床屋に行って髪を短くし、まとめて洗濯をしてズボンと色の合う靴下を履くようになった。それで誰かに後ろ指をさされる可能性は少しは減ったはずだ。

どれだけ注意深く捜しても、しるしのようなものは何ひとつ発見できなかったけれど、それでとくにがっかりしたりはしない。大事なしるしを探すのは、気むずかしい動物を飼い慣らすのに似ている。そう簡単にはいかない。我慢強さと注意深さ、それがこの作業にとってもっとも大事な資質だ。そしてもちろん直観。

毎日そこに通ううちに、階段を利用する人々が存在することを私は知った。それほど多くの数ではないのだが、何人かが日常的にその踊り場を通過し、あるいは少なくとも利用しているようだった。ソファの足もとにキャンディーの包み紙が落ちていたり、灰皿にマールボロの吸い殻が残っていたり、読み終えた新聞が置いてあったりすることで、それが推測できた。

日曜日の午後、階段を走り上ってくる男とすれ違った。30過ぎのこわばった顔立ちの小柄な男で、グリーンのランニング・ウェアを着て、アシックスのシューズを履いていた。大きなカシオの腕時計をはめていた。

「こんにちは」と私は声をかけた。「ちょっとよろしいでしょうか？」

「いいですよ」と男は言って、腕時計のボタンを押した。そして何度か大きく息をついた。ナイキのマークのついたタンクトップの、胸の部分に汗がにじんでいる。

「いつもこの階段を走って上り下りしておられるのでしょうか？」と私は尋ねた。

「走って上ります。32階まで。しかし下りるのはエレベーターを使います。走って階段を下りるのは危険なんです」

「毎日やっておられるのですか？」

「いいえ、勤めがありますので、なかなかそう時間がとれません。週末にまとめて何往復かします。平日でも仕事が早く引けたときには走りますが」

「このマンションに住んでおられるのですか？」

「もちろん」とランナーは言った。「17階に住んでいます」

「26階に住んでおられる胡桃沢さんのことを、ひょっとしてご存じでいらっしゃいますでしょうか？」

「クルミザワさん？」

「アルマーニの金属縁の眼鏡をかけて、証券トレーダーをやっていて、いつも階段を使って上り下りしている人です。身長は173センチ。年齢は40歳です」

ランナーは少し考えてから思い出した。「ああ、あの人ね。知ってますよ。一度話をしたことがあります。走っているとときどきすれ違います。ソファに座っておられることもあります。エレベーターがいやで、階段しか使わない人ですよね？」

「そうです。その人です」と私は言った。「ところで、この階段を日常的に利用する人は、胡桃沢さんのほかにもけっこうおられるのでしょうか？」

「ええ、いますよ」と彼は言った。「それほどたくさんじゃありませんが、階段を使う常連みたいな人たちがいます。エレベーターに乗るのが好きじゃないっていう人がいます。それから私のほかにも、ちょくちょく階段を走っている人が二人ほど。この近くには良いジョギング・コースがないので、かわりに階段を上り下りするんです。走りはしないけれど、健康維持のために階段を使うという方も何人かおられます。ここの階段は広くて明るくてきれいなので、ほかの高層マンションなんかに比べると、比較的よく利用されているみたいですよ」

「そういう方のお名前は、ひょっとしてご存じありませんでしょうか？」

「いいえ」とランナーは言った。「顔はだいたい覚えていますし、すれ違うとお互い軽くあいさつくらいはします。しかし名前や住戸までは存じ上げません。なにしろ都会の大きなマンションですから」

「わかりました。どうもありがとうございました」と私は言った。「お引き留めいたしまして、申し訳ありません。がんばって下さい」

男はストップウォッチのボタンを押して、また階段を走り上がっていった。

火曜日に、私がそのソファに座っていると、一人の老人が階段を下りてやってきた。白髪で、眼鏡をかけ、年齢は70代半ばに見えた。長袖《そで》のワイシャツに、グレーのズボン、サンダルというかっこうだった。着ているものは清潔でしわひとつない。背が高く、姿勢も良かった。退職してまだ間がない、小学校の校長のように見える。

「こんにちは」と彼は言った。

「こんにちは」と私は言った。

「ここで煙草を吸ってもよろしいですか？」

「どうぞ、どうぞ、ご遠慮なく」と私は答えた。

彼は私のとなりに腰を下ろし、ズボンのポケットからセブンスターを取り出し、マッチで火をつけた。そしてマッチの火を消して、灰皿の中に捨てた。

「26階に住んでおります」と彼は煙をゆっくりと吐き出してから言った。「息子夫婦と同居しておるんですが、煙草を吸うと部屋が臭くなると言われまして、それで煙草が吸いたくなると、ここに来ます。あなたは煙草は吸われますか？」

煙草を吸うのをやめて12年になると私は言った。

「私も煙草をやめてもいいんですよ。どうせ、一日に数本しか吸いませんから、やめようと思えばいつでも簡単にやめられます」と老人は言った。「ただ、煙草を買いに外に出るとか、うちを出てわざわざここまで来て一服するとか、そういう雑事が発生するおかげで、けっこう滑らかに日々の時間が過ぎていきます。身体も動かしますし、余計なことも考えずにすみますし」

「いわば健康のために喫煙を続けられているわけですね」と私は言った。

「実にそのとおりです」と老人は真顔で言った。

「26階にお住まいだとおっしゃいましたね？」

「そうです」

「それでは2609にお住まいの胡桃沢さんのことはご存じでしょうか？」

「ええ、知っておりますよ。眼鏡をかけた方ですね。ソロモン・ブラザーズにおつとめになっていたかな？」

「メリルリンチ」と私は訂正した。

「そうです。メリルリンチ」と老人は言った。「何度かここでお話をしたことがあります。あの方もときどきこのベンチにお座りになっていました」

「胡桃沢さんは、このベンチで何をしておられたのでしょうね？」

「さあ、私にはわかりません。ただぼんやりしておられたんじゃないでしょうか。煙草はお吸いにならなかったようですし」

「考えごとをするとか、そういうことなのでしょうか？」

「よくわかりませんね、そのへんの違いは。ぼんやりする——考えごとをする。私たちは日常的にものを考えます。私たちは決してものを考えるために生きているわけではありませんが、かといって生きるためにものを考えているというわけでもなさそうです。パスカルの説とは相反するようですが、私たちはあるときにはむしろ、自らを生きさせないことを目的としてものを考えているのかもしれません。ぼんやりする——というのは、そういう反作用を無意識的にならしている、ということなのかもしれません。いずれにせよむずかしい問題です」

老人はそう言って、煙草の煙を深々と吸い込んだ。

私は尋ねてみた。「胡桃沢さんは仕事が大変だとか、家庭にトラブルがあるとか、ひょっとしてそういうことを話されませんでしたか？」

老人は首を振り、煙草《たばこ》の灰を灰皿に落とした。「ご存じのように、すべての水は与えられた最短距離をとおって流れます。しかしある場合には、最短距離は水そのものによって作り出されます。人間の思考とは、そのような水の機能に似ておりま す。私はいつもそういう印象を抱いてきました。しかしあなたの質問にお答えしなくてはなりませんね。私と胡桃沢さんとはそのような突っ込んだ話は一度もしたことはありません。軽い世間話しかしませんでした。天気とか、マンションの規約とか、それくらいのことです」

「わかりました。お手間をとらせました」と私は言った。

「ときとして私たちは言葉は必要とはしません」と老人は言った。私の言ったことが耳に入らなかったみたいに。「しかしその一方で、言葉は言うまでもなく常に私たちの介在を必要としております。私たちがいなくなれば、言葉は存在意味を持ちません。そうではありませんか？　それは永遠に発せられることのない言葉になってしまいますし、発せられることのない言葉は、もはや言葉ではありません」

「そのとおりですね」と私は言った。

「それは、何度も繰り返し考えられる価値のある命題です」

「禅の公案のように」

「実に」と老人は言ってうなずいた。

煙草を一本吸い終わると、老人は立ち上がって、部屋に戻っていった。

「ごきげんよう」と彼は言った。

「さよなら」と私は言った。


金曜日の午後の二時過ぎ、私が25階と26階とのあいだの踊り場まで上がって行くと、ソファに小さな女の子が座って、鏡に映った自分の姿を見ながら、歌を歌っていた。小学校にあがったばかりという年頃だった。ピンク色のTシャツに、デニムの短いズボンをはいて、緑色のデイパックを背負い、膝の上に帽子を置いていた。

「こんにちは」と私は言った。

「こんにちは」と女の子は歌うのをやめて言った。

本当は彼女のとなりに腰を下ろしたかったが、誰かが通りかかって、変な風に疑われるのがいやだったので、窓際《まどぎわ》の壁にもたれかかり、距離を置いて彼女と話をした。

「学校は終わったの？」と私は尋ねてみた。

「じゃあ学校のことは話したくないな」と女の子は言った。譲歩の余地のない口調だった。

「じゃあ学校のことは話さないようにしよう」と私は言った。「君はこのマンションに住んでいるの？」

「住んでいる」と女の子は言った。「27階」

「ひょっとして、階段を歩いて上り下りしているのかな？」

「エレベーターはくさいから」と女の子は言った。「エレベーターはくさいから、27階まで歩いて上るんだ」

女の子は鏡に映った自分の姿に向かって大きくうなずいた。「いつもじゃないけどね。ときどき」

「足は疲れない？」

女の子は私の質問には答えなかった。「ねえ、おじさん、このマンションの階段についてる鏡の中で、ここの鏡がいちばんきれいに映るんだよ。それにおうちの鏡とはぜんぜん違って映るんだ」

「どんな風に違ってるわけ？」

「自分で見てごらんよ」と女の子は言った。

私は一歩前に出て鏡に向かい、そこに映る自分の姿をしばらく眺めてみた。そう言われて見ると、その鏡に映った私の姿は、いつも私がほかの鏡の中に見ている自分の姿とは少しだけ違っているような気がした。鏡の向こう側の私は、こちら側の私より少しふっくらして、いくらか楽観的であるように見えた。たとえば——まるで温かいパンケーキをたっぷりと食べたあとみたいに。

「おじさん、犬を飼っている？」

「いや、犬は飼ってないな。熱帯魚なら飼っているけど」

「ふうん」と女の子は言った。しかし熱帯魚にはあまり興味はないようだった。

「犬は好き？」と私は尋ねた。

彼女はそれには答えず、べつの質問をした。「おじさん、子供はいる？」

「子供はいない」と私は答えた。

女の子は疑り深そうな目で私の顔を見た。「子供のいない男の人とは口をきいちゃいけないって、うちのお母さんが言ってた。そういう人はカクリツ的にヘンてこな人が多いんだって」

「そうとも限らないけど、でもたしかに知らない男の人には注意をした方がいいね。お母さんの言うとおりだ」と私は言った。

「でも、おじさんはたぶん変な人じゃないよね」と女の子は言った。

「違うと思う」

「急におちんちんを見せたりしないよね？」

「しない」

「小さな女の子のパンツを集めたりもしてないよね？」

「してない」

「何か集めてるものある？」

私は少し考えた。私は現代詩の初版本を蒐集《しゅうしゅう》しているが、そんなことをここで話しても仕方ないだろうと思った。「とくに集めているものはないね。君は？」

彼女もそれについて少し考えた。それから何度か首を横に振った。「わたしも、とくに何も集めてないと思うな」

私たちはそれからしばらく黙っていた。

「ねえ、おじさん、ミスタードーナツの中で何がいちばん好き？」

「オールド・ファッション」と私は即座に答えた。

「それって知らない」と女の子は言った。「変な名前。私の好きなのはね、『ほかほかフルムーン』、それから『うさぎホイップ』」

「どっちも聞いたことないな」

「中にゼリーとかあんが入っているやつ。おいしいんだよ。お母さんは甘いものばかり食べてると頭が悪くなるからって、あんまり買ってくれないんだけど」

「おいしそうだ」と私は言った。

「ねえ、おじさんはここで何をしているの？　たしか昨日もここにいたよね。ちらっと見かけたんだ」と女の子は尋ねた。

「このあたりで捜しものをしているんだよ」

「どんなものを？」

「わからない」と私は正直に言った。「たぶんドアみたいなものだと思うけど」

「ドア？」と女の子は言った。「どんなドア？　ドアにだっていろんなかたちや色があるよね」

私は考え込んだ。どんなかたちと色？　そういえばこれまで、ドアのかたちや色について考えたことはなかった。不思議な話だ。「わからないな。いったいどんなかたちや色をしているんだろう。ひょっとしたら、それはドアでさえないかもしれない」

「ひょっとしたら、雨傘みたいなものかもしれない?」

「雨傘?」と私は言った。「そうだね、それが雨傘であってはならないという理由もないような気がするね」

「雨傘とドアとじゃ、かたちも大きさもやくめもずいぶん違うよね」

「違うね、たしかに。でも一目見れば、その場でぱっとわかるはずなんだ。ああ、そうだ、これが捜していたものだって。たとえそれが雨傘であるにせよ、ドアであるにせよ、ドーナッツであるにせよ」

「ふうん」と女の子は言った。「おじさんはそれを長いあいだ捜しているの?」

「ずいぶん長く。君が生まれる前からずっと」

「そうなんだ」と彼女は言った。そしてしばらくのあいだ自分の手のひらを眺めながら、何かを考えていた。「わたしも手伝ってあげようか。それを捜すのを」

「手伝ってくれるとすごく嬉《うれ》しいね」と私は言った。

「ドアだか、雨傘だか、ドーナッツだか、象さんだか、なんだかよくわからないものを捜せばいいんだね？」

「そういうことだね」と私は言った。「でも見ればそれだってすぐにわかる」

「面白そう」と女の子は言った。「だけど今日はそろそろ行かなくちゃ。これからバレエのレッスンがあるから」

「じゃあね」と私は言った。「お話ししてくれて、どうもありがとう」

「あのね、おじさんの好きなドーナッツの名前、もう一度言ってくれる？」

「オールド・ファッション」

女の子はむずかしい顔をして、〈オールド・ファッション〉と小さく口の中で何度かくり返した。

「さよなら」と女の子は言った。

「さよなら」と私は言った。

女の子は立ち上がると、歌を歌いながら階段を上って消えていった。私は目を閉じ、もう一度時間の流れに身を任せ、時間を効用もなく摩耗させた。

土曜日、依頼人から電話がかかってきた。

「夫が見つかりました」、彼女はそう切り出した。あいさつも前置きもなく。

「見つかった？」と私は聞き返した。

「ええ、昨日の昼頃に、警察から電話がありました。仙台駅の待合所のベンチに寝ているところを保護されたのだそうです。無一文で、証明書の類《たぐ》いも持っていませんでしたが、名前と住所と電話番号をだんだん思い出したということです。私はすぐに仙台に行きました。夫に間違いはありませんでした」

「どうしてまた仙台に？」と私は尋ねた。

「それは本人にもわかりません。気がついたら、仙台の駅のベンチに寝ていて、駅員に肩を揺すられていたんだそうです。無一文でどうやって仙台まで行ったのか、二十日のあいだどこで何をしていたのか、どうやって食べていたのか、本人にも思い出せないのです」

「どんな服装でした？」

「家を出たときと同じ服装です。二十日ぶんの髭《ひげ》がのびて、体重は10キロばかり減っていました。眼鏡はどこかでなくしたようです。今は仙台の病院から電話をしています。夫はここでメディカル・チェックを受けています。CTスキャンとか、レントゲンとか、精神の鑑定とか。でも今のところ頭脳の働きも回復していますし、身体的にも問題はないようです。ただ記憶が消えているだけです。母親のうちを出て、階段を上がっていくところまでは覚えているのですが、そのあとの記憶がありません。でもとにかく、明日には一緒に東京に戻ることができると思います」

「それはよかった」

「これまで調査をしていただいたことには、深く感謝しております。しかしそのような次第で、これ以上ご足労をおかけする必要もなくなったようです」

「どうやらそのようですね」と私は言った。

「何から何までとりとめのないできごとで、腑《ふ》に落ちないところは多々ありますが、とりあえず夫は元気で戻ってきましたし、言うまでもなく、私にとってはそれがもっとも大事なことです」

「もちろん、そのとおりです」と私は言った。「それが何よりです」

「それで、お礼のことなのですが、やはり受け取ってはいただけないのでしょうか？」

「最初にお目にかかったときにも申し上げましたように、謝礼に類するものはいっさいいただきません。ですからそのことにつきましては、どうかお気遣いなく。御配慮は感謝いたしますが」

沈黙があった。いちおうお断りするべきことはお断りしましたからね、という文脈の涼しげな沈黙だった。私も及ばずながらその沈黙に加担し、その涼しさをしばし味わっていた。

「それではごきげんよう」とやがて彼女は言って電話を切った。そこには同情的と言えなくもない響きがあった。

私も受話器を置いた。それからしばらく、新しい鉛筆を指の中でゆっくりと転がしながら、真っ白なメモ用紙をにらんでいた。真っ白なメモ用紙は私に、クリーニングから戻ってきたばかりの新しいシーツを思い出させた。新しいシーツは私に、そこで気持ちよさそうに昼寝をする性格の良い三毛猫を思い出させた。新しいシーツの上で昼寝をする性格の良い三毛猫のイメージは、私の気持ちをいくぶん落ち着かせてくれた。それから私は記憶をたどり、彼女が口にしたことをひとつひとつ、真っ白なメモ用紙に丁寧な字で書き留めていった。仙台駅、金曜日の昼頃、電話、体重が10キロ減、同じ服装、眼鏡は紛失、二十日ぶんの記憶が消滅。

二十日ぶんの記憶が消滅。

私は鉛筆を机の上に置き、椅子《いす》の上で身体《からだ》を大きくそらせ、天井を見上げた。天井のボードにはまばらに不規則な模様がついていて、目を細めて見つめていると、天体図のように見えなくもなかった。私はその架空の星空を見上げながら、健康のためにまた喫煙を始めるべきなのかもしれないなと考えた。頭の中には、階段を上り下りするハイヒールの靴音がまだかすかに響いていた。

「胡桃沢《くるみざわ》さん」と私は、天井の一角に向かって、声に出して語りかけた、「現実の世界にようこそ戻られました。不安神経症のお母さんと、アイスピックみたいなヒールの靴を履いた奥さんと、メリルリンチに囲まれた美しい三角形の世界に」

私はまたどこかべつの場所で、ドアだか、雨傘だか、ドーナッツだか、象さんだかのかたちをしたものを探し求めることになるだろう。どこであれ、それが見つかりそうな場所で。

日々移動する腎臓のかたちをした石

淳平《じゅんぺい》が十六歳のとき、父親がこんなことを言った。血を分けた親子ではあったが、親しく膝《ひざ》を交えて話をするようなうちとけた間柄ではなかったし、父親が人生について哲学的（なのだろう、たぶん）所見を述べるのはとても珍しいことだったから、そのときのやりとりは鮮明な記憶として残った。どういう経緯でそんな話になったのか、まったく思い出せないのだけれど。

「男が一生に出会う中で、本当に意味を持つ女は三人しかいない。それより多くもないし、少なくもない」と父親は言った。いや、断言したというべきだろう。父親は淡々とした口調で、しかしきっぱりそう言った。地球は一年かけて太陽のまわりを一周する、と言うみたいに。淳平は黙って話を聞いていた。そんなことを唐突に言われて驚いてしまったこともあるし、少なくともその時点においては述べるべき意見を思いつかなかったからだ。

「だからもしお前がこの先いろんな女と知り合い、つきあったとしても」と父親は続けた。「相手が間違っていれば、それは無益なおこないになる。そのことは覚えておいた方がいい」

あとになって、いくつかの疑問が年若い息子の頭に浮かんだ。「父親は三人の女に既に巡り会ったのだろうか？　母親はそのうちの一人なのか？　だとしたら、あとの二人とのあいだにはいったい何が起こったのか？」。でも父親にそんな質問はできなかった。最初の話に戻るが、二人は腹を割って話をするような親密なあいだがらにはなかったからだ。

十八歳のときに家を離れ、東京の大学に入り、それ以来何人かの女性と知り合い、つきあうことになった。そのうちの一人は淳平にとって「本当に意味を持つ」女性だった。そのことに彼は確信を抱いていたし、現在でもやはり同じように確信を抱いている。でも彼女は、淳平がその思いを具体的なかたちにして持ち出す前に（何かを具体的なかたちにするまでに人より時間がかかる性格なのだ）、彼のいちばんの親友と結婚してしまった。今ではもう母親になっている。だから彼女は、人生の選択肢からひとまず除外されなくてはならなかった。心を固め、その存在を頭から追い払わなくてはならなかった。その結果彼の人生に残された「本当に意味を持つ」女性の数は——もし父親の説をそのまま受け入れるならということだが——あと二人になった。

淳平は新しい女性と知り合うたびに、自らに問いかけることになった。この女は自分にとって本当に意味を持つ相手なのだろうか、と。そしてその問いかけは常に、ひとつのジレンマを呼び起こした。つまり彼は、出会った相手が「本当に意味を持つ」女性であってほしいと期待しつつ（そう期待しない人間がどこにいるだろう？）、同時にまた、限られた数のカードを人生の早い段階で使い切ってしまうことに、怯《おび》えもしたのだ。最初に出会った大事な相手と結ばれ損ねたことで、淳平は自分の能力——愛情を適時に適切に具象化するという重要な意味を持つ能力——に自信を持てなくなっていた。結局のところ自分は、つまらないものをたくさん手にしながら、人生のもっとも大事なものを逃しつづける人間なのかもしれない、彼はよくそう思った。そしてそのたびに、心は光明と温かみを欠いた場所に沈みこんでいった。

そんなわけで、新しく知り合った女性と何ヶ月か交際したあと、その人柄や言動に何かひとつでも、どんな些細《ささい》なことであっても、気にいらないところや神経に障《さわ》るところが見えてくると、彼は心の片隅でいくぶんほっとすることになった。その結果、多くの女性たちと付かず離れずの淡い関係を結び続けることが、人生のひとつの定型のようになってしまった。様子を探るようにしばらくつきあい、ある地点に達すると自然に関係を解消する。別れに際して、確執や言い争いのようなことはまず起こらなかった。というか、穏やかに関係を解消できそうにない相手とは、最初から関わることを避けた。そういう都合のいい相手を選ぶ嗅覚《きゅうかく》のようなものを、淳平はいつしか身につけていた。

そのような能力がもともとの性格から派生したものなのか、あるいは後天的に形成されたものなのか、彼自身にも判断できない。しかしもし後天的なものであるとしたら、それは父親の呪《のろ》いと言っても差し支《つか》えないかもしれない。彼は大学を出るところに父親と激しい口論をして、そのまま一切の交際を絶っていたが、父親の持ち出した「三人の女」説だけは、根拠の十分な説明も与えられないまま、一種の強迫観念となって彼の人生につきまとっていた。同性愛に進むべきなのかもなと、冗談半分に考えたことさえあった。そうすれば、このろくでもないカウントダウンから逃れることができるかもしれない。しかし幸か不幸か、淳平は女性にしか性的な関心を持てなかった。

あとでわかったことだけれど、そのときに知り合った女性は、彼より年上だった。三十六歳。淳平は三十一歳だ。恵比寿《えびす》から代官山に向かう道筋に、知人が小さなフレンチ・レストランを開店して、そのオープニング・パーティーに招待されたのだ。彼はペリー・エリスの濃紺の絹のシャツの上に、同じ色合いの夏物のジャケットを着ていた。そこで落ち合うことになっていた親しい友人が急に来られなくなったので、彼はどちらかというと時間を持て余していた。ウェイティング・バーのスツールに一人で腰掛け、大振りなグラスで時間をかけてボルドー・ワインを飲んでいた。そろそろ引き上げようと思い、あいさつをするためにレストランのオーナーの姿を目で探しかけたときに、一人の背の高い女性が、名前のわからない紫色のカクテルを手に、彼の方に近づいてきた。とても姿勢がいい、というのが彼女の第一印象だった。

「あなたは小説家だってあっちで聞いたんだけど、本当？」、彼女はバーのカウンターに肘《ひじ》を置いてそう尋ねた。

「いちおう、そういうことになっているみたいだけど」と彼は答えた。

「いちおう小説家なのね」

淳平は頷《うなず》いた。

「何冊くらい本を出しているの？」

「短編集が二冊に、翻訳書が一冊。どれもそんなに売れなかったけど」

彼女はあらためて淳平の外見を点検した。そしておおむね満足したように微笑《ほほえ》んだ。「いずれにせよ、本物の小説家に会ったのは生まれて初めて」

「よろしく」

「よろしく」と彼女も言った。

「でも小説家に会っても、とくに面白いことはないんだよ」と淳平は言い訳するように言った。「何かとくべつな芸ができるわけじゃないから。ピアニストならピアノが弾けるし、画家ならちょっとスケッチでも描けるし、手品師なら簡単な手品ができるし……でも小説家はとりあえず何もできない」

「だけど、何かほら、芸術的オーラみたいなのが鑑賞できる、というようなことはないのかしら？」

「芸術的オーラ？」と淳平は言った。

「普通の人には求めがたい輝き、みたいなもの」

「毎朝ひげを剃《そ》るときに、鏡に映った自分の顔を眺めるけど、そんなもの一度もみかけたことない」

彼女は人懐《なつ》っこく笑った。「どんな種類の小説を書いているの？」

「よくそんな風にきかれるんだけど、種類の説明をするのはちょっとむずかしい。特定のジャンルにうまくあてはまらないから……」

彼女はカクテルグラスの縁を指で撫《な》でた。「ということはつまり——いわゆる純文学みたいなものかしら？」

「たぶん。『不幸の手紙』みたいな響きがそこには感じられるけど」

彼女はまた笑った。「ところで私はあなたの名前を耳にしたことがあるかしら？」

「文芸誌を読むことは？」

彼女は小さく、しかしきっぱりと首を振った。

「じゃあ、ないと思う。世間的にはまるで有名じゃないから」と淳平は言った。

「芥川賞の候補になったことってある？」

「五年間で四回」

「でもとれなかった？」

彼はただ静かに微笑んだ。彼女はとくに許可を求めることもなく、となりのスツールに腰を下ろした。そしてカクテルの残りをすすった。

「いいじゃない。賞なんてどうせ業界内のおもわくでしょう」と彼女は言った。

「実際に賞をとった人がはっきりそう言ってくれれば、それはそれでリアリティーがあるんだろうけどね」

彼女は名前を名乗った。キリエといった。

「なんだかミサ曲の一部みたいだ」と淳平は言った。

彼女は見たところ、淳平より2センチか3センチくらい背が高そうだった。髪は短くカットされ、まんべんなく日焼けをしていて、頭のかたちがとてもきれいだった。淡いグリーンの麻のジャケットを着て、膝までのフレア・スカートをはいていた。ジャケットの袖《そで》は肘まで折り上げられている。ジャケットの下はシンプルなコットンのブラウスで、襟に小さなターコイズ・ブルーのブローチがついている。胸は大きくもなく、小さくもない。着こなしは洒落《しゃれ》ていて、無理がなく、同時にはっきりとした個人的指針のようなものが貫かれていた。唇はふっくらとして、何かを言い終えるたびに、広がったりすぼんだりした。そのおかげで、彼女に関わるすべてのものが不思議なくらい生き生きとして、新鮮に見えた。額は広く、考え事をするときに、横に三本、平行にしわがよった。考え事が終わると、そのしわがぱっと消えた。

淳平は彼女に心を惹《ひ》かれていることに気づいた。彼女の中にある何かが、彼の心をとりとめもなく、しかし執拗《しつよう》にそそった。アドレナリンを得た心臓が、こっそり信号を送るように小さな音を立てていた。急に喉《のど》の渇きを感じて、淳平は通りかかったウェイターにペリエを頼んだ。この女は自分にとって意味を持つ相手なのだろうか、彼はいつものようにそう考えた。残された二人のうちの一人なのだろうか？　二球めのストライクなのか？　見逃すべきか、あるいはスイングするべきか？

「昔から作家になりたいと思っていたの？」とキリエが質問した。

「そうだね。というか、ほかの何かになりたいと思ったことがなかった。ほかの選択肢を思いつけなかった」

「要するに夢がかなったんだ」

「どうだろう。僕は優れた作家になりたいと思っていたんだよ」、淳平は両手を広げて、30センチほどの空間を作った。「そのあいだにはかなりの距離があるような気がする」

「誰にでも出発点というものはあるのよ。まだ先は長いでしょう。最初から完全なものなんてあり得ないもの」と彼女は言った。「あなたは今いくつ？」

そこで二人はお互いの年齢を教え合った。彼女は自分が年上であることをまったく気にしていないようだった。淳平も気にしなかった。彼はどちらかというと、若い娘よりは成熟した女性の方が好みだった。それに多くの場合、別れるときも相手が年上である方が楽だった。

「どんな仕事をしているの？」と淳平は尋ねた。

キリエは唇を一直線に結び、はじめて生真面目《きまじめ》な顔をした。「さて。私はどんな仕事をしているように見える？」

淳平はグラスを揺すって、赤ワインをひと巡りさせた。「ヒントは？」

「ヒントはなし。むずかしいかしら？　でも、観察して判断するのがあなたの仕事でしょう？」

「それは違うね。観察して、観察して、更に観察して、判断をできるだけあとまわしにするのが、正しい小説家のあり方なんだ」

「なるほど」と彼女は言った。「じゃあ観察して、観察して、更に観察して、想像してみて。それならあなたの職業倫理に抵触しないでしょう」

淳平は顔を上げ、相手の顔をあらためて注意深く眺めた。そこに浮かんでいる秘密のサインを読み取ろうとした。彼女は淳平の目をまっすぐにのぞき込み、彼も相手の目をまっすぐにのぞき込んだ。

「根拠のない想像に過ぎないけれど、何か専門職のようなことをしているんじゃないかな」、少しあとで彼はそう言った。「つまり誰にでもできる仕事じゃなくて、特殊な技能を必要とすること」

「それはずばりあたっているわね。たしかに誰にでもできることじゃない。あなたの言うとおり。でも、もっと具体的に限定してくれないかな」

「音楽に関係したこと？」

「ノー」

「服飾デザイン？」

「ノー」

「テニス選手？」

「ノー」と彼女は言う。

淳平は首を振った。「けっこう日焼けしているし、身体《からだ》が引き締まって、腕に筋肉がついている。よく野外スポーツをするのかもしれない。しかし屋外労働をするようには見えないな。雰囲気的に」

キリエはジャケットの袖をあげ、むき出しになった両方の腕をカウンターの上に置いて、ひっくりかえして点検した。

「なかなかいいところまではいってるみたい」

「でも正解は与えられない」

「小さな秘密というのは大事なのよ」とキリエは言った。「観察し想像するという職業的な喜びをあなたから奪いたくないし……。でもね、ひとつだけヒントをあげる。私の場合もあなたと同じなの」

「僕と同じって？」

「つまりずっと以前から、小さな頃からやりたいと思っていたことを、私は職業にしているわけ。あなたの場合と同じように。ここに来るまでは決して簡単な道のりではなかったけど」

「それはよかった」と淳平は言った。「すごく大事なことだよ、それは。職業というのは本来は愛の行為であるべきなんだ。便宜的な結婚みたいなものじゃなくて」

「愛の行為」とキリエは感心したように言った。「それ、素敵な比喩《ひゆ》ね」

「ところで僕は君の名前を耳にしたことがあると思う？」と淳平は尋ねた。

彼女は首を振った。「ないと思う。とくに世間的に有名なわけじゃないから」

「誰にでも出発点はある」

「そのとおり」とキリエは言って笑った。それから真顔になった。「でも私の場合、あなたの場合とは違って、最初から完全なものを要求されているの。失敗は許されない。完全か、あるいは無か。そこに中間はない。やりなおしもない」

「それもヒントなんだ」

ウェイターがシャンパン・グラスを載せた盆を持ってまわってきて、彼女はそのグラスをふたつとった。そして淳平にひとつを渡し、「乾杯」と言った。

「お互いの専門職に」と淳平は言った。

そして二人はグラスの縁をあわせた。軽やかな秘密めいた音がした。

「ところであなたは結婚している？」

淳平は首を振った。

「私も」とキリエは言った。

「たぶん」

その夜、彼女は淳平の部屋に泊まった。店からおみやげにもらってきたワインを飲み、セックスをして、眠った。淳平が翌朝の十時過ぎに目を覚ましたとき、彼女の姿は既になかった。となりの枕《まくら》にくぼみがひとつ、まるで欠損した記憶のようなかたちに残っているだけだった。「仕事があるので行きます。もしそのつもりがあるのなら、連絡して」というメモが枕元に残されていた。そして携帯電話の番号が記されていた。

彼はその番号に電話をかけ、二人は土曜日の夕方に会った。レストランで食事をし、軽くワインを飲み、淳平の部屋でセックスをし、一緒に眠った。朝になると、また同じように彼女の姿は消えていた。日曜日だったが、やはり「仕事があるので、消えます」という簡潔なメモが残されていた。キリエがどのような仕事をしているのか、淳平にはまだわからない。しかし朝早くから始まる仕事に就いていることは確かだった。そして彼女は——少なくとも場合によっては——日曜日にも働くのだ。

二人は話題には不自由しなかった。キリエは頭が切れたし、話がうまかった。話題も豊富だった。彼女はどちらかと言えば、小説以外の本を読むのが好きだった。伝記や、歴史や、心理学や、一般的な読者のために書かれた科学書なんかを好んで読んだ。そしてそのような分野の知識を、キリエは驚くほど豊富に持っていた。あるときには、彼女がプレハブ住宅の歴史についてのあまりにも精密な知識を持っていることに、淳平は驚かされた。プレハブ住宅？　ひょっとして君は建築関係の仕事をしているの？　ノー、と彼女は言った。「私は何によらず、とても実際的なことに興味を惹かれるの。それだけ」と彼女は言った。

しかし彼女は淳平が出版した二冊の短編小説集を読んで、とてもすばらしいと言った。予想していたより遥《はる》かに面白かった、と。

「実はひそかに心配していたの」と彼女は言った。「あなたの書いた本を読んでみてぜんぜん面白くなかったら、どうしよう。なんて言えばいいんだろうって。でも心配することなんかなかったわ。とても楽しく読めたから」

「それはよかった」と淳平はほっとして言った。彼女の求めに応じて自分の本を渡したとき、彼もやはり同じことを心配していたのだ。

「これはお世辞じゃないのよ」とキリエは言う。「あなたにはとくべつなものが備わっていると思う。優れた作家となるために必要な何かがね。雰囲気は静かだけど、いくつかの作品はとくに生き生きと書けていて、文章も美しい。そして何よりもバランスがよくとれている。実を言うと、私は何はさておきバランスということがまず気になるの。音楽にしても、小説にしても、絵にしてもね。そしてバランスがうまくとれていない作品や演奏に出会うと――つまりあまり質の良くない未完成なものに出会うということだけど――とても気持ちが悪くなるの。乗り物酔いしたみたいに。私がコンサートに行かないのも、小説をほとんど読まないのも、たぶんそのせいね」

「バランスの悪いものに出くわすのがいやだから？」

「そう」

「そのリスクを避けるために、小説も読まないしコンサートにも行かない」

「そのとおり」

「かなり極端な意見みたいに僕には思える」

「天秤《てんびん》座なのよ。バランスがとれていないものごとにどうしても我慢できないというか——」、彼女は口をつぐんで的確な言葉を探した。しかし言葉は見つからなかった。彼女は暫定《ざんてい》的なため息をついた。「でもそれはさておき、私の印象ではあなたはいつか、もっと長い大柄な小説を書くことになると思う。そしてそれによって、もっと重みのある作家になっていくような気がする。時間は多少かかるかもしれないけれど」

「僕はもともとが短編小説の作家だよ。長編小説には向かない」と淳平は乾いた声で言った。

「それでも」と彼女は言った。

淳平はとくにそれ以上意見は言わなかった。ただ黙って、エアコンディショナーの風音に耳を澄ませていた。実際のところ、彼はこれまで何度か長編小説に挑戦していた。しかしそのたびに途中で筆をおくことになった。物語を書くための集中力を、長い期間にわたって保つことがどうしてもできなかった。書き始めるときには素晴らしいものが書けそうな気がする。物語は自然に溢《あふ》れ出てくる。文章は生き生きとしていて、将来が約束されているように見える。ところが先に進むにつれて、そのような勢いと輝きは少しずつ、しかし目に見えて失われていく。先細りになり、やがて機関車がスピードを落として停止するように、完全に消滅してしまう。

二人はベッドの中にいた。季節は秋だ。長い親密なセックスを終えたあとで、二人はどちらも裸だ。キリエは淳平の腕の中に肩を押し込んでいた。ベッドサイドの机には白ワインの入ったグラスが二つ置かれている。

「ねえ」とキリエは言った。

「うん？」

「淳平くんって、すごく好きな女の人がほかにいるんでしょ？　どうしても忘れられない人っていうか」

「いる」と彼は認めた。「それがわかるの？」

「もちろん」と彼女は言う。「女っていうのはね、そういうことに関してはとても鋭いの」

「女の人がみんな鋭いわけじゃないと思うけど」

「私も女の人みんなの話をしているわけじゃないんだけど」

「なるほど」と淳平は言う。

「でもその人とは交際できないのね？」

「事情のようなものがあるから」

「その事情が解消する可能性みたいなのはまったくないの？」

淳平は短くきっぱり首を振った。「ない」

「けっこう深い事情なのね？」

「深いかどうかはわからない。でもとにかく事情だよ」

キリエはワインを少し飲んだ。

「私にはそういう人はいない」と彼女はつぶやくように言った。「そして淳平くんのことはとても好きよ。強く心を惹《ひ》かれるし、こうして二人でいると、すごく幸せな落ち着いた気持ちになれる。でもあなたと一緒になりたいという気持ちはない。

どう、安心した？」

淳平は彼女の髪に指を入れた。彼はキリエの質問には答えず、かわりに別の質問をした。「それはどうして？」

「どうして私があなたと一緒になるつもりはないかっていうこと？」

「そう」

「気になる？」

「少し」と彼は言った。

「誰かと日常的に深い関係を結ぶということが、私にはできないの。あなたとだけじゃなく、誰とも」と彼女は言った。「私は今自分がやっていることに完全に集中したいの。もし誰かと日常生活をともにしたり、その相手に感情的に深くのめり込んだりしたら、それができなくなってしまうかもしれない。だから今みたいなままがいい」

淳平はそれについて少し考えた。「つまり心を乱されたくはない？」

「そう」

「心を乱されるとバランスが失われて、君のキャリアに重大な支障が生じるかもしれない」

「そのとおり」

「そのようなリスクを避けるために、誰とも生活はともにしない」

彼女は頷《うなず》いた。「少なくとも今の職業に就いている限りは」

「でも君は、それがどんな職業なのか、僕に教えてはくれないんだ？」

「あててごらんなさいよ」

「泥棒」と淳平は言った。

「ノー」とキリエは真顔で答えた。それから楽しそうに顔を崩す。「魅力的な推測ではあるけれど、泥棒は朝から働かない」

「ヒット・マン」

「ヒット・パーソン」と彼女は訂正した。「いずれにせよ、ノー。どうしてそんなひどいことばかり思いつくわけ？」

「それは法律の枠内にある仕事なんだね？」

「そのとおり」と彼女は言う。「それはまさに法律の枠内においておこなわれる」

「秘密捜査官？」

「ノー」と彼女は言う。「その話は今日はもうそれでおしまい。それより、淳平くんの仕事の話が聞きたいな。あなたが今書いている小説の話をしてくれる？　何か書いているんでしょ？」

「今は短編小説を書いている」と淳平は言う。

「どんな話？」

「まだ最後まで書けていない。途中で一服したままになってるんだ」

「もしよかったら、その途中までの筋書きを聞きたいんだけど」

そう言われて淳平は黙り込んだ。彼は執筆途中の小説の内容は他人に話さないことに決めていた。それはジンクスのようなものだ。いったん言葉にして口に出してしまうと、ある種のものごとは、朝露のように消え失《う》せてしまう。微妙な意味あいは、薄っぺらな書き割りに変わってしまう。秘密はもう秘密ではなくなってしまう。しかしベッドの中でキリエの短い髪に指を這《は》わせながら、彼女になら話してもいいかもしれないと淳平は思う。どうせ何かにブロックされたまま、この何日か一歩も前に進めないでいるんだ。

「三人称で書かれていて、主人公は女性なんだ。年齢は三十代前半」と彼は語り始めた。「腕の良い内科医で、大きな病院に勤めている。独身だけど、同じ病院に勤める四十代後半の外科医と秘密の関係を持っている。相手は妻帯者だ」

キリエはその人物を想像する。「彼女は魅力的なの？」

「じゅうぶん魅力的だと思う」と淳平は言った。「でも君ほどじゃない」

キリエは笑って、淳平の首にキスをした。「それって、正しい答えよね」

「正しい答えが必要とされるときには、正しい答えを返すことにしている」

「とくにベッドの中では」

「とくにベッドの中では」と彼は言った。「彼女は休暇をとって一人で旅行をする。季節はちょうど今ぐらい。山あいの小さな温泉宿に泊まり、谷川に沿ってのんびり散歩をする。バードウォッチングが彼女の趣味なんだ。とくにカワセミを見るのが好きだ。河原を歩いているときに奇妙な石をひとつ見つける。赤みがかった黒で、つるつるしていて、見覚えのあるかっこうをしている。それが腎臓《じんぞう》のかたちであることに、すぐに気づく。なにしろ専門家だからね。サイズも、色あいも、厚みも、本物の腎臓そのままだ」

「そして彼女は、その腎臓石を拾って持ち帰る」

「そう」と淳平は言った。「彼女はその石を、病院の自分の部屋に持っていって、文鎮として使うことにする。書類を押さえておくのにちょうど良い大きさで、ちょうど良い重さだったんだよ」

「雰囲気的にも病院にあっているし」

「そのとおり」と淳平は言った。「でも数日後、彼女は奇妙な事実に気づく」

キリエは黙って話の続きを待っている。淳平は聞き手をじらせるようにしばらく間を置いた。でも意図的にじらせているわけではない。実を言えば、そこから先の筋はまだできあがっていないのだ。そのポイントで彼の物語は、進行を停止していた。彼はその道しるべのない交差点に立ち、あたりを見まわし、懸命に頭を働かせた。物語の行く先を考えた。

「朝になると、その腎臓石の位置が移動しているんだ。彼女は帰宅するときに、机の上に石を置いていく。几帳面《きちょうめん》な性格だから、いつもピンポイントで同じ場所だ。なのにある朝にはそれは回転椅子《いす》のシートに載っている。あるときには花瓶のとなりに置いてあるし、あるときには床の上に転がっている。自分が思い違いをしたのかもしれない、と彼女はまず思う。次に自分の記憶システムに何か異変が起きているのかもしれないと疑う。ドアには鍵《かぎ》がかけてあるし、部屋には誰も入れないはずだから。もちろん守衛は鍵を持っている。でもその守衛は長く勤めている人で、他人のオフィスに勝手に押し入ったりはしない。それに、彼が毎晩彼女の部屋に侵入して、文鎮がわりの石の置き場所を動かしていく意味がどこにあるだろう？　部屋にあるほかのものにはとくに異変は起きていない。何もなくなっていないし、何もいじられていない。ただ石の位置が変化しているだけだ。それで彼女は途方に暮れてしまう。君はどう思う？　どうしてその石は夜のあいだに居場所を変えるんだろう？」

「その腎臓石は自分の意思を持っているのよ」、キリエはあっさりとそう言った。

「腎臓石はいったいどんな意思を持つんだろう？」

「腎臓石は、彼女を揺さぶりたいのよ。少しずつ、時間をかけて揺さぶりたいの。それが腎臓石の意思」

「なぜ腎臓石は彼女を揺さぶりたいんだろう？」

「さあ」と彼女は言った。そしてくすくす笑う。「医師を揺さぶる石の意思」

「冗談じゃなくてさ」と淳平はうんざりした声で言った。

「それはあなたが決めることじゃないかしら。だって淳平くんは小説家なんでしょう。そして私は小説家じゃない。私はただの聞き手」

淳平は顔をしかめた。集中して頭を働かせたおかげで、こめかみの奥が少しうずいていた。ワインを飲み過ぎたのかもしれない。「うまく考えがまとまらないな。僕の場合、机に向かって実際に手を動かして文章にしてみないと、筋書きが動いていかないんだ。もう少し待ってもらえないかな。話しているうちになんとか先が書けそうな気がしてきた」

「いいわよ」とキリエは言った。手を伸ばして白ワインのグラスを取り、一口飲んだ。「待ってるわ。でもそれって、すごく面白そうな話。その腎臓石がどうなるのか、私としては結末がとても知りたい」

そして彼女は身体《からだ》の向きを変え、かたちの良い乳房を、彼の脇腹《わきばら》に押しつけた。

「ねえ、淳平くん、この世界のあらゆるものは意思を持っているの」と彼女は小さな声で打ち明けるように言った。淳平は眠りかけている。返事をすることはできない。彼女の口にする言葉は、夜の空気の中で構文としてのかたちを失い、ワインの微《かす》かなアロマに混じって、彼の意識の奥に密《ひそ》やかにたどり着く。「たとえば、風は意思を持っている。私たちはふだんそんなことに気がつかないで生きている。でもあるとき、私たちはそのことに気づかされる。風はひとつのおもわくを持ってあなたを包み、あなたを揺さぶっている。風はあなたの内側にあるすべてを承知している。風だけじゃない。あらゆるもの。石もそのひとつね。彼らは私たちのことをとてもよく知っているのよ。どこからどこまで。あるときがきて、私たちはそのことに思い当たる。私たちはそういうものとともにやっていくしかない。それらを受け入れて、私たちは生き残り、そして深まっていく」

それから五日ばかり、淳平はほとんど外に出ることなく、机に向かって腎臓石の物語を書き続けた。キリエが予言したように、腎臓石はその女医を静かに揺さぶり続ける。少しずつ時間をかけて、しかし確実に。恋人とシティー・ホテルの無名的な一室で、夕刻に慌《あわ》ただしい交わりを持つとき、彼女は相手の背中にこっそりと手を置いて、腎臓のかたちを指で探る。自分の腎臓石がそこに潜んでいることを彼女は知っている。その腎臓は彼女が恋人の身体の中に埋め込んだ、秘密の通報者なのだ。指の下で、その腎臓は虫のように蠢《うごめ》く。そして彼女に腎臓的なメッセージを送り届ける。彼女は腎臓と会話をし、交流をする。そのぬめりを手のひらに感じることができる。

夜ごとに居場所を変える真っ黒な腎臓石の存在に、その女医は少しずつ慣れていく。それを自然なものとして受け入れていく。石が夜のあいだにどこに移動していてももう驚かなくなる。病院に出勤すると、その石を部屋のどこかでみつけ、拾い上げて机の上に戻す。それが違和感のない日常的な習慣になってくる。彼女がその部屋にいるあいだ、石は動かない。日なたで熟睡している猫のように、おとなしくひとつの位置にとどまっている。彼女がドアの鍵をかけて出ていくと、目を覚まし、移動を始める。

暇があれば彼女は手を伸ばし、その滑らかな黒い表面をそっと撫《な》でる。そのうちにだんだん石から目をそらすことができなくなっていく。催眠術にでもかけられたみたいに。彼女は次第にほかのものごとに対する興味を失っていく。本も読めなくなる。ジムに通うのもやめてしまう。診療についてはかろうじて集中力を維持しているものの、それ以外の思考は惰性的な、間に合わせのものになっていく。同僚との会話にも興味が持てなくなる。身なりにもかまわなくなってくる。食欲も確実に減退していく。恋人に抱かれることさえ今では煩《わずら》わしく感じられる。周囲に誰もいないとき、彼女はその石に小さな声で語りかけ、石が語りかけてくる言葉ではない言葉に耳を澄ますようになる。孤独な人々が犬や猫に語りかけるときのように。その腎臓のかたちをした黒い石が、今では彼女の生活の多くの部分を支配している。

その石は外部からやってきた物体ではないのだろう――物語を書き進めているうちに、淳平にはそれがわかってくる。ポイントは彼女自身の内部にある何かなのだ。彼女の中のその何かが、腎臓のかたちをした黒い石を活性化している。そしてそれは彼女に、何かしらの具体的行動をとることを求めている。そのための信号を送り続けている。夜ごとの移動というかたちをとって。

その短編小説を書きながら、淳平はキリエのことを考える。彼女が（あるいは彼女の中にある何かが）物語を先に押し進めているのだ、と感じる。なぜなら彼はもともとそんな現実ばなれした話を書くつもりはなかったからだ。淳平が頭の中に前もって漠然とこしらえていたのは、もっと静謐《せいひつ》な、心理小説的なストーリーラインだった。そこでは石は勝手に場所を移動したりしない。

女医の心は、おそらく妻子のある恋人の外科医から離れていくだろう、と淳平は予想する。あるいは彼を憎み始めるかもしれない。彼女はおそらく無意識的にそうなることを求めていたのだろう。

そのような全体像が見えてくると、あとの物語を書くのは比較的簡単だった。淳平はマーラーの歌曲を小さな音で繰り返し聞きながら、コンピュータに向かって小説の結末部分を、彼にしてはずいぶん速いスピードで書き上げていった。彼女は決意して、恋人の外科医と別れる。もうあなたと会うことはできないと相手に告げる。話し合う余地はないのか、と彼は尋ねる。まったくない、と彼女はきっぱり答える。休日に東京湾フェリーに乗り、デッキから腎臓石を海に捨てる。その石は深く暗い海の底に向かって、地球の芯《しん》に向かって、まっすぐ沈んでいく。彼女は人生をもう一度新しく生き直そうと決心する。石を捨ててしまうと、自分がずいぶん身軽になったような気がする。

しかし翌朝病院に出勤したとき、その石は机の上で彼女を待っている。それはぴたりと所定の位置に収まっている。黒々と重く、そして腎臓のかたちをして。

小説を書き上げてしまうと、すぐキリエに電話をかけた。彼女はたぶん出来上ががった作品を読みたがるだろう。それはある意味では、彼女が書かせた作品なのだから。しかし電話はつながらなかった。「おかけになりました電話番号には接続できません。もう一度お調べのうえ、おかけ直しください」とテープの声が言った。淳平は何度もかけ直してみた。しかし結果は同じだった。その電話番号には接続できない。彼女の携帯電話に何か不具合が生じたのかもしれない、と彼は思った。淳平はなるべく家を離れないようにして、キリエから連絡がくるのを待っていた。しかし連絡はなかった。そのようにして一ヶ月が経過した。一ヶ月が二ヶ月になり、二ヶ月が三ヶ月になった。季節は冬に変わり、やがて新しい年が訪れた。彼の書いた短編小説は文芸誌の二月号に掲載された。雑誌の新聞広告の目次には、淳平の名前と「日々移動する腎臓のかたちをした石」というタイトルが印刷されていた。キリエはその広告を目にして、雑誌を買って作品を読み、感想を述べるために連絡をくれるかもしれない。彼はその可能性に期待していた。しかしただ沈黙が新たに積み重ねられただけだった。

生活の中から彼女の存在が消えてしまうと、淳平の心は前もって予想していたよりも、ずっと激しい痛みを感じることになった。キリエの残していった欠落は彼を揺さぶった。一日のうちに何度も、「彼女が今ここにいてくれたらな」と考えた。キリエの微笑《ほほえ》みや、彼女の口にする言葉や、抱き合ったときの肌の感触を懐《なつ》かしく思った。愛好する音楽も、気に入っている著者の新刊書も、彼の心を慰めてはくれなかった。何もかもが遠いところにあるよそごととして感じられた。「キリエが二人目の女だったのかもしれない」と淳平は思った。

淳平がキリエに再び巡りあったのは、春の初めの昼下がりだった。いや、正確に言えば巡りあったというのではない。彼はキリエの声を聞いたのだ。

淳平はタクシーに乗っていた。道路は渋滞していた。タクシーの若い運転手はFM放送の番組をかけていた。そこから彼女の声が聞こえてきたのだ。淳平は最初のうちあまり確信が持てなかった。なんとなく声が似ているな、という程度のものだった。しかし聞けば聞くほど、それはキリエの声であり、彼女のしゃべり方だった。抑揚が滑らかで、とてもリラックスしている。間の置き方に特徴がある。

「ねえ、少し音を大きくしてくれないかな」と淳平は言った。

「いいですよ」と運転手は言った。

それは放送局のスタジオの中でのインタビューだった。女性アナウンサーが彼女に質問をしていた。

「――それで、小さいころからやはり高い場所がお好きだったんですか？」とアナウンサーが尋ねた。

「そうですね」とキリエは――あるいは彼女にそっくりの声の女は――答えた。「物心ついたころから、高いところに上るのが好きでした。高ければ高いほど、安らいだ気持ちになれたんです。それでいつも高いビルに連れていってくれと、両親にせがんでいました。妙な子供だったんです」（笑い）

「それで結局、こういうお仕事を始められたわけですね？」

「最初は証券会社でアナリストみたいなことをやっていたんです。でもそういう仕事が自分に向かないんだってよくわかりました。だから三年ほどで退社して、最初はビルの窓ふきの仕事をしていました。本当は建築現場で鳶《とび》職みたいなことをやりたかったんですが、そういうところはマッチョな世界で、簡単に女性を受け入れてはくれません。だからとりあえず窓ふきのアルバイトから始めたわけです」

「証券アナリストから窓ふきに転身したんですね」

「私としては正直言ってその方が気楽です。株価とは違って、落ちるとしても、落ちるのは自分だけだから」（笑い）

「窓ふきっていいますと、ゴンドラに乗って屋上からするすると下がってくるやつですね？」

「そうです。もちろん命綱をつけてやるんですが、どうしても命綱を外してやらなくちゃならないところも出てきます。私はそういうのはぜんぜん平気でした。どんなに高いところでも、ちっとも怖くありません。だからずいぶん重宝されました」

「クライミングなんかはなさらないんですか？」

「山にはほとんど興味がありません。勧められて何度か試してはみたんですが、だめでした。どれほど高くても、面白いとは思えないんです。私が興味を持てるのは、直立した人工的な高層建築だけです。どうしてかはわかりませんが」

「現在は都内で、高層ビル専門の窓清掃の会社を経営しておられるんですね？」

「そうです」と彼女は言った。「アルバイトでお金を貯《た》めて、六年ほど前に独立して、小さな会社を始めました。もちろん自分でも現場に出て働きますが、いちおう経営者になっています。そうすれば誰からも命令されず、自分で勝手にルールを決められますから、便利です」

「好きに命綱をはずせるから？」

「早い話」（笑い）

「命綱をつけてるのって、好きじゃないんですね？」

「ええ、なんか自分じゃないみたいな感じ。まるでがちがちのコルセットを身につけているみたいで」（笑い）

「本当に高いところがお好きなんですね？」

「好きです。高いところにいることが私の天職です。それ以外の職業が頭に浮かびません。職業というのは本来、愛の行為であるべきなんです。便宜的な結婚みたいなものじゃなく」

「ここで音楽を一曲かけます。ジェームズ・テイラーの歌う『アップ・オン・ザ・ルーフ』」とアナウンサーが言った。「綱渡りのお話の続きは、そのあとでまた」

音楽がかかっているあいだに、淳平は前に身を乗り出して運転手に尋ねた。「この人、いったい何をしているの？」

「高い建物と建物とのあいだにロープを張って、その上を歩いて渡る人なんですって」と運転手は説明した。「バランスをとるための長い棒を持って。パフォーマーっていうんですかね。私なんか高所恐怖症だから、ガラス張りのエレベーターに乗るだけでもおっかないですけどね。物好きっていうか、まあ、ちょっと変わってますよね。もうそんなに若くはない人みたいだけど」

「それが職業なの？」と淳平は尋ねた。自分の声が乾いて、重みを失っていることに彼は気づいた。それは頭上の天井の隙間《すきま》から聞こえてくる他の誰かの声のようだ。

「ええ、いろんなスポンサーとかつけて、やってるみたいですね。この前はドイツの、なんとかいう有名なカセドラルでそれをやったそうです。本当はもっと高い高層ビルでやりたいんだけど、なかなか当局の許可が下りないんだそうです。それくらい高いところになると、安全ネットが役に立ちませんからね。だからちょっとずつ、実績を積み重ねていって、徐々により高いところに挑戦したい、と。もっとも綱渡りだけでは食べていけないから、普段はさっき言ってたみたいに、ビルの窓ふきの会社を経営しているんです。同じ綱渡りでも、サーカスとかそういうところで働くのはいやなんだそうです。高層建築にしか興味ないって。ほんと変わってますよ」

「何よりも素晴らしいのは、そこにいると、自分という人間が変化を遂げることです」と彼女はインタビュアーに語った。「というか、変化を遂げないことには生き延びていけないのです。高い場所に出ると、そこにいるのはただ私と風だけです。ほかには何もありません。風が私を包み、私を揺さぶります。風が私というものを理解します。同時に、私は風を理解します。そして私たちはお互いを受け入れ、ともに生きていくことに決めるのです。私と風だけ——ほかのものが入り込む余地はありません。私が好きなのはそういう瞬間です。いいえ、恐怖は感じません。一度高い場所に足を踏み出し、その集中の中にすっぽりと入ってしまえば、恐怖は消えています。私たちは親密な空白の中にいます。私はそういう瞬間が何よりも好きなのです」

インタビュアーがキリエの語ったことを理解できたかどうか、淳平にはわからない。しかしいずれにせよ、キリエはそれを淡々と語った。インタビューが終わったところで、淳平はタクシーを停めて、降りた。そして目的地までの残りの道のりを歩いた。ときおり高いビルを見上げ、流れていく雲を見上げた。風と彼女とのあいだには、誰も入ることはできないのだと彼は悟った。そこで彼が感じたのは、激しい嫉妬《しっと》の感情だった。でもいったい何に嫉妬をしているのだろう？　風に？　いったい誰が風に嫉妬を覚えたりするだろう？

淳平はそれから何ヶ月かのあいだ、キリエからの連絡を待っていた。彼女と会って、二人でいろんな話をしたかった。腎臓《じんぞう》のかたちをした石のことも話したかった。しかし電話はかかってこなかった。彼女の携帯電話の番号も相変わらず「接続できない」ままだった。夏が来るころには、彼もさすがに希望を捨てた。キリエにはもう彼に会うつもりはないのだ。そう――確執もなく、言い合いもなく、二人の関係は穏やかに終わったのだ。考えてみればそれは、彼が長いあいだほかの女たちに対しておこなってきたことそのままだった。いつか電話がかかってこなくなる。そのようにしてすべては静かに、自然に終わってしまう。

彼女をカウントダウンに加えるべきだろうか？　三人の意味を持つ女性の一人に入れるべきか？　淳平はそれについてずいぶん悩んだ。しかし結論は出なかった。あと半年待ってみようと彼は思った。半年後に決めることにしよう。

その半年のあいだに、彼は集中的に多くの短編小説を書いた。そして机に向かって文章を推敲《すいこう》しながら、キリエは今ごろたぶん風と一緒に高いところにいるのだと思った。僕がこうして机に向かって一人で小説を書いているあいだ、彼女は誰よりも高いところに一人きりでいるのだ。命綱をはずして。一度その集中の中に入ってしまえば、そこには恐怖はありません。ただ私と風があるだけです。淳平はよく彼女のその言葉を思い出した。そして淳平は自分がキリエに、ほかの女性に対しては一度も感じたことのない、とくべつな感情を抱くようになっていることに気づいた。明瞭《めいりよう》な輪郭を持ち、手応《ごた》えをそなえた、奥行きの深い感情だった。その感情にどのような名前をつければいいのか、淳平にはまだわからない。しかし少なくとも、ほかの何かと取り替えることのできない思いだ。もう二度とキリエに会えないとしても、この思いはいつまでも彼の心に、あるいは骨の髄のような場所に残ることだろう。彼は身体《からだ》のどこかでキリエの欠落を感じ続けることだろう。

その年が終わりに近づくころ、淳平は心を決めた。彼女を二人目にしよう。キリエは彼にとって「本当に意味を持つ」女性の一人だったのだ。ストライク・ツー。残りはあと一人ということになる。しかし彼の中にはもう恐怖はない。大事なのは数じゃない。カウントダウンには何の意味もない。大事なのは誰か一人をそっくり受容しようという気持ちなんだ、と彼は理解する。そしてそれは常に最初であり、常に最終でなくてはならないのだ。

同じころ、女医の机の上からは、腎臓のかたちをした黒い石が姿を消している。彼女はある朝、その石がもうそこに存在していないことに気づく。それは二度と戻ってはこないはずだ。彼女にはそれがわかる。

品川猿

ときどき自分の名前が思い出せなくなった。多くは、思いがけず誰かから名前を尋ねられた場合だった。たとえばブティックでワンピースを買って、袖《そで》の寸法をなおすことになり、店員に「失礼ですが、お客様のお名前は？」と質問されたようなときに。あるいは仕事の電話でしかるべきやりとりがあり、最後になって「ところでお名前をもう一度いただけますか？」と言われたようなときに、そこでとつぜん記憶が消え失《う》せてしまう。自分が誰なのかわからなくなってしまう。だから名前を思い出すために、財布をひっぱりだして運転免許証を見なくてはならず、当然のことながら相手に不思議な顔をされたり、あるいは——ぽっかり奇妙な間が空くことで——電話の向こうで不審に思われたりすることになる。

自分の方から意識して名前を名乗る場合には、そういう「名前忘れ」は起こらない。それなりの心の準備ができていれば、問題なく記憶を管理することができる。ところが慌《あわ》ただしくしているときや、まったく無警戒でいるときに、相手から出し抜けに名前を尋ねられると、まるでブレーカーがすとんと下りたみたいに、頭の中が空白になってしまう。名前がどうやっても出てこない。手がかりを求めれば求めるほど、彼女はその輪郭のない空白に呑《の》み込まれていく。

思い出せなくなるのは、自分の名前に限られていた。まわりの人の名前を忘れることはまずない。自分の住所も、電話番号も、誕生日も、パスポート番号だって、忘れない。親しい友人の電話番号や、大事な仕事関係の電話番号は、ほとんどぜんぶそらで言える。記憶力は昔から悪くないほうだった。思い出せなくなるのは、ただ自分の名前だけなのだ。名前忘れが始まったのは一年ばかり前からだが、それ以前にはそんな経験をしたことは一度もなかった。

彼女の名前は「安藤みずき」だった。結婚前の名前は「大沢みずき」。どちらもとくに独創的な名前とも言えないし、ドラマティックな名前とも言えない。しかし、だからといって、慌ただしい日常に紛れて記憶からついこぼれおちてしまうのもまあ仕方あるまい、ということにはもちろんならない。なにしろそれは、ほかならぬ自分の名前なのだから。

彼女が「安藤みずき」になったのは、三年前の春のことだ。彼女は「安藤隆史」という名前の男性と結婚して、その結果、安藤みずきと名乗るようになった。最初のうちは安藤みずきという名前にうまく馴染《なじ》めなかった。字面《じづら》も音の響きも、いささか落ち着きが悪いように感じられた。しかし何度も口にし、繰り返し署名をしているうちに、安藤みずきもそれほど悪くないなと、だんだん思えるようになってきた。たとえば「水木みずき」とか「三木みずき」とか、そういう語呂《ごろ》あわせのような名前を名乗らなくてはならない状況だって起こり得たのだから（彼女は短いあいだではあるけれど、実際に三木という名字の男性と交際していたことがある）、それに比べれば「安藤みずき」はまだ上出来の部類ではないか、と思った。そして彼女は徐々にではあるけれど、その新しい名前を自分自身のものとして受け入れていった。

しかし一年前から、その名前は突然逃げ出し始めた。最初は一ヶ月に一度くらいだったが、日を追うにつれ頻度が増してきた。今では少なくとも週に一度はそれが起こる。「安藤みずき」という名前がいったん逃げ出してしまうと、彼女は誰でもない「名前のない一人の女」として世の中に取り残されることになった。財布があるうちはいい。それを出して免許証を見れば、自分の名前はわかる。しかしもし財布をなくしてしまったら、もう自分がどこの誰だか見当もつかないということになってしまうかもしれない。もちろん名前を一時的に失っても、彼女は彼女としてそこにあるわけだし、自宅の住所も電話番号も覚えているから、存在がまったくのゼロになるというわけではない。映画に出てくるような全面的な記憶喪失とは話が違う。しかし自分の名前が思い出せないというのは、やはりおそろしく不便であり、不安なことだった。名前を失った人生は、まるで覚醒《かくせい》の手がかりを失った夢みたいに感じられる。

彼女は宝飾店に行って、細くてシンプルな銀製のブレスレットを買い求め、そこに名前を彫ってもらった。「安藤（大沢）みずき」という自分の名前を。住所も、電話番号もなし。ただ名前だけ。これじゃまるで犬か猫みたいだ、と彼女は自嘲《じちょう》的に思った。彼女は家を出るときには、必ずそのブレスレットをつけた。自分の名前が思い出せなくなったら、ブレスレットにちらりと目をやればいいのだ。そうすれば名前を思い出すためにいちいち財布を引っぱり出さなくてすむ。相手に妙な顔をされることもない。

　自分が日常的に自分の名前を思い出せなくなっていることを、彼女は夫には打ち明けなかった。そんなことを話したら、夫はたぶん「それは君が、結婚生活に不満や違和感を持っているからじゃないかな」というようなことを言い出すに決まっている。とにかくそういう理屈っぽいことを持ち出すのが好きな人なのだ。悪気はないのだが、何ごとによらずすぐに論理化してしまう。彼女はそういうものごとの決めつけ方が、どちらかといえば苦手だった。おまけに弁が立つものだから、簡単には言い負かすことができない。だからこのことについては黙っていようと心を決めた。

　でもいずれにせよ夫の言う（であろう）ことは的を射ていない、と彼女は思う。彼女は結婚生活にこれといって不満や違和感を抱いているわけではない。夫にも——その理屈っぽさにときとしてうんざりすることはあるにしても——基本的には不満はないし、夫の実家に対しても、とくにネガティブな印象を持ってはいない。夫の父親は山形県酒田市で開業医をやっている。悪くない人たちだ。考え方には多少旧弊なところがあるけれど、夫は次男なので、それほどうるさいことも言われずにすむ。彼女は名古屋の生まれ育ちなので、北国酒田の冬の寒さと風の強さにはいささか閉口させられたが、年に一度か二度短いあいだ訪れるのにはなかなか良いところだ。二人は結婚して二年後に、ローンを組んで品川に新築のマンションを買った。夫は現在三十歳で製薬会社の研究室に勤務している。彼女は二十六歳で、大田区にあるホンダの販売店で働いている。電話がかかってくると受話器をとる、客が来店するとソファに案内してコーヒーかお茶を出す、コピーが必要ならコピーをとる、書類を保管し、コンピュータの顧客リストを管理する。

彼女は都内の女子短期大学を卒業したあと、ホンダの役員をしていた伯父の紹介があって、この販売店で働くようになった。決してスリリングな仕事とは言えないが、責任も与えられているし、それなりにやりがいはある。直接車のセールスにあたることは彼女の職分の中には入っていないけれど、セールス担当者が出払っているときには、来店した客の質問に不足なく答えることもできる。彼らのやり方をそばで見ているうちに、彼女はセールスのこつのようなものを自然に呑み込んでいたし、必要な専門知識も身につけていた。「オデッセイ」の、とてもミニヴァンとは思えないハンドリングのシャープさを熱心に説くこともできる。モデルごとの燃費を全部そらで言える。話術もけっこう巧みだし、チャーミングな笑顔で相手の警戒心を解くこともできる。客の人柄や性格を見抜いて、戦略を柔軟にシフトすることもできる。実際に成約直前まで持っていったことも何度かある。しかし最終段階になると残念ながら、専門の社員に交渉を引き渡さなくてはならなかった。勝手に値引きをしたり、下取り価格を上下したり、オプションをサービスしたりする権限は彼女には与えられていないからだ。彼女が話の大半をまとめても、セールス担当者が最後に出てきて、コミッションをもっていく。彼女の報賞といえば、せいぜいその棚ぼたの担当者から個人的にディナーをごちそうしてもらうくらいのものだ。

私にセールスを任せてくれれば、もっとたくさん車が売れるし、営業所全体の成績だって今よりは上がるはずなのに、と彼女はときどき思う。本気を出せば、大学を出たばかりの若いセールスマンの倍くらいは売り上げられるはずだ。しかし誰も「君はなかなかセールスの素質がある。書類の整理や、電話番をさせておくのはもったいない。これからはセールスにまわってくれないか」と声をかけてはくれない。それが会社というシステムのあり方なのだ。セールスはセールス、事務職は事務職。一度決まった職掌の枠組みは、余程のことがなければ崩れない。それに彼女の方にも、仕事の領域を広げて、意欲的にキャリアを積み上げていきたいという願望はなかった。それよりは決められた仕事を九時から五時までこなし、年次有給休暇も余さずにとり、プライベートな生活をゆっくり楽しむという方が性格にあっていた。

彼女は勤務先ではいまだに結婚前の名前を使い続けている。顔見知りの顧客や取引先の人々にいちいち改姓の理由を言ってまわるのが面倒だというのが、いちばん大きな理由だった。名刺にも、胸につける名札にも、タイムカードにも、「大沢みずき」という名前が記されている。みんな「大沢さん」とか「大沢くん」とか「みずきさん」とか「みずきちゃん」とか呼ぶ。彼女も電話がかかってくると「はい、ホンダプリモ＊＊店の大沢です」と名乗る。しかしそれは彼女が「安藤みずき」という名前を拒否しているからではない。彼女はただ、みんなに事情を説明するのが面倒だから、結婚前の姓をずるずると使い続けているだけなのだ。

彼女が仕事場で旧姓を使い続けていることは夫も承知していたが（たまに仕事場に電話をかけてくることがあったから）、そのことでとくに異論は唱えなかった。彼女が自分の職場でどんな名前を使おうと、それはあくまで彼女にとっての便宜的な問題に過ぎないと考えているようだった。いちおう理屈が通っていれば、うるさいことは言わない。そういうところは楽と言えば楽である。

自分の名前が頭から消えてしまうというのは、ひょっとして何か重大な病気の徴候のひとつなのかもしれない——そう思うとみずきは落ち着かない気持ちになった。たとえばアルツハイマー症の可能性もある。それから世の中には、思いもよらないような、複雑にして致死的な病気が存在する。たとえば筋無力症とか、ハンティントン病とかいった難病の存在を、彼女はついこのあいだまで知らなかった。そのほかにも彼女が耳にしたこともないような特殊な病気が、世の中にたぶん数多くあるはずだ。そしてそれらの病の最初の徴候はおおかたの場合、きわめて些細《ささい》なことなのだ。奇妙ではあるが、些細なこと——たとえばどうしても自分の名前が思い出せないとか……。そう考え始めると、こうしているあいだにも、わけのわからない病巣が身体《からだ》のどこかで静かに着々と広がっていっているのではないだろうか、と心配でたまらなくなってくる。

みずきは総合病院に行って自分の症状を説明した。しかし問診した若い医師（この男は医師と言うよりは、むしろ病人みたいに疲弊した青白い顔をしていた）は、彼女の言うことをあまり真剣にとりあってくれなかった。「それで、名前以外に思い出せないことはありますか？」と医師は尋ねた。ない、と彼女は言った。今のところ、思い出せないのは自分の名前だけです。「うーん、そういうのはたぶん精神科の領域でしょうね」と医師は関心と同情を欠いた声で言った。「もしご自分の名前以外のものごとが日常的に思い出せないという症状が出てきたら、そのときにまた来てみてください。その段階で専門的な検査をしてみましょう」。もっと深刻な症状に苦しんでいる人たちがこの病院にはたくさんやってきて、私たちはそういう人たちのために日々てんてこ舞いしているんですよ、ときどき自分の名前が思い出せなくなるくらい、べつにいいじゃありませんか、それがどうしたんですか、とその医師は言いたそうだった。

ある日、郵便物と一緒に配達されてきた品川区の広報紙を読んでいるときに、区役所で「心の悩み相談室」が開かれているという記事が目にとまった。普通なら見逃してしまいそうなくらい小さな記事だった。週に一度、専門のカウンセラーが安い料金で個人面談をしてくれるということである。十八歳以上の品川区在住の人であれば、どなたでも自由に参加できます。個人情報は厳守されますのでご安心下さい。区役所の主催するカウンセリングみたいなものがどれくらい役に立つのか、今ひとつ判断しかねるところだったが、ものは試しだ。行ってみても損はないだろう、とみずきは思った。自動車ディーラーは週末に休みがないかわりに、平日に比較的自由に休みを取ることができるし、区役所の設定した日程——一般的な時間帯で働く人々にとってはかなり非現実的な日程である——に合わせることが可能だった。前もって予約を入れることが求められていたので、彼女は担当窓口に電話をかけてみた。料金は三十分で二千円ということだった。それくらいなら彼女にも無理なく払える。水曜日の午後の一時に彼女はそこに行くことになった。

その時刻に区役所の三階で開かれている「心の悩み相談室」に行ってみると、その日彼女のほかに相談に訪れる人は一人もいないということだった。「このプログラムは急遽《きゅうきょ》立ち上げられたばかりなので、まだよく一般に知られていないんでしょうね」と受付の女性が言った。「知られるようになると、たぶんもっと混み合ってくると思います。今はすいているから、あなたラッキーですよ」

カウンセラーは坂木哲子という、気持ちよさそうに太った四十代後半の小柄な女性だった。短い髪を明るい茶色に染めて、広々とした顔にいかにも人好きのする微笑《ほほえ》みを浮かべていた。淡い色合いのサマースーツに、艶《つや》のある絹のブラウス、模造真珠のネックレス、平たい底の靴というかっこうだ。カウンセラーというよりは、面倒見のいい気さくな近所のおばさんのように見えた。

「実はね、夫がこの区役所の土木課の課長をしているの」と彼女は親しげに自己紹介をした。「そういう関係もあって、うまく区の補助がとれて、このように区民相談室を開けることになったわけ。あなたがここでの初めてのクライアントなのよ。どうかよろしくね。今日はまだ人も集まらないし、暇みたいだから、心おきなくゆっくりお話ししましょう」。とてものんびりとしたしゃべり方だった。急《せ》いたところはない。

よろしくお願いします、とみずきはいった。「ほんとにこの人で大丈夫なのかしら」と心の中で首をひねりながら。

「でもカウンセラーとしての正式な資格は持ってるし、経験も豊富だから、その点については安心してくれて大丈夫よ。しっかり大船に乗ったつもりでいてちょうだい」、彼女はみずきの内心の声を聞きつけたかのように、にこやかにそう付け加えた。

坂木哲子はスチールの事務机に向かって座り、みずきは二人掛けのソファに腰掛けた。つい最近どこかの倉庫から引っぱり出されてきたような古いソファだった。スプリングも弱くなっていたし、ほこりっぽい匂《にお》いのせいで鼻が少しむずむずした。

「本当はもっとしっかりした寝椅子《いす》みたいなのがあると、カウンセリングっぽくっていいんだけど、今のところそれしか見つからなかったの。なにしろお役所だから、何をするにも手続きはうるさいし、融通っていうものがきかないのよ。いやよね、こういうところって。この次までにもう少しましなのを手に入れておくから、今日はそれで我慢してちょうだいね」

みずきがその骨董品《こっとうひん》並のソファに身体を沈め、日常的に自分の名前が思い出せなくなることについて順序立てて説明しているあいだ、坂木哲子はただふんふんと無言で肯《うなず》いていた。質問もしなかったし、驚きの表情を浮かべたりもしなかった。ろくに相づちさえ打たなかった。みずきの話に熱心に耳を傾け、ときどき何かを考えるようにぎゅっと顔をしかめるのをべつにすれば、春の夕暮れどきの月のようなほんのりとした微笑みを、終始口もとに浮かべていた。

「名前を入れたブレスレットをつくったのは、良いアイデアだったわねえ」、みずきが話を終えると、カウンセラーは最初にそう言った。「あなたの対応はぜんぜん間違ってないわよ。まず実際的に不便を少しでも軽くしていくこと、それがなによりも大切なことなの——変に罪悪感を持ったり、考え込んだり、あわてふためいたりするかわりに、現実的にトラブルに対処するということね。あなたってなかなかお利口さんよね。それにすっごく素敵なブレスレットじゃない。よく似合っているわよ」

「あの、まず自分の名前が思い出せなくなって、それがあとになって何かもっと重い病気につながっていく、というような例はないのでしょうか？」とみずきは尋ねてみた。

「そうねえ、そういう限定された初期徴候を持つ病気みたいなのは、とくにないと思う」とカウンセラーは言った。「だけど症状が一年ほどのあいだに少しずつ進行しているというのは、なんとなく気になるわよね。たしかにそれが何かの引き金になって、もっと別の症状が出てくる、あるいは記憶欠損の部位がほかにも広がっていく……という可能性はあるかもしれない。だからゆっくりお話し合いをして、今のうちにその出どころのようなものを見つけておいた方がいいと思うの。それに外に出てお仕事をしてらっしゃるわけだし、自分の名前が思い出せないとなると、現実的な不便も多いでしょうしね」

坂木というカウンセラーはまず最初に、みずきが現在送っている生活について、基本的ないくつかの質問をした。結婚して何年になるか？　職場ではどういった仕事をしているのか？　体調はどんな具合か？　それから子供時代のあれこれについて尋ねた。家族構成について、学校での生活について。楽しかったこと、あまり楽しくなかったこと。得意だったこと、あまり得意ではなかったこと。みずきはひとつひとつの質問にできるだけ正直に、手早く、正確に答えていった。

育ったのはごく当たり前の家庭。父親は大手の生命保険会社に勤めていた。とりたてて裕福なわけではなかったが、それでも金銭のことで苦労をした記憶はない。両親と姉が一人。父親は真面目《まじめ》一方の人で、母親はどちらかと言えば性格が細かく、口うるさかった。姉は優等生タイプだが、（みずきに言わせれば）人格にいささか浅薄で功利的なところがある。しかし家族とはこれまでとくに問題もなく、まずまず良好な関係を保ってきたと思う。大きないさかいを起こしたことはない。彼女自身はどちらかといえば目立たない子供だった。健康で病気ひとつしなかったけれど、かといって運動能力に優れていたわけではない。容貌《ようぼう》にコンプレックスを持ったことはないが、とくに誰かからきれいだと言われるようなこともなかった。利発なところはなくはないと自分でも思うけれど、だからといってとくべつ何かの分野に秀《ひい》でているというのでもない。学校の成績も人並みというところだった。後ろから数えるよりも前から数えた方がいくぶん早い、という程度だ。学校時代、仲の良い友だちは何人かできたが、それぞれに結婚をして住んでいる場所もばらばらになり、今ではあまり親交はない。

現在送っている結婚生活にも、異議を申し立てるべき点はこれといって見あたらない。最初のうちお決まりの試行錯誤はあったものの、二人はそれなりに順調に自分たちの生活を打ち立ててきた。夫はもちろん完璧《かんぺき》な人間ではないけれど（たとえば理屈っぽく、服装のセンスに問題がある）、良いところもたくさんある（親切だし、責任感が強く、清潔で、食べ物に好き嫌いがなく、愚痴を言わない）。職場での人間関係にもとりたてて問題はない。同僚たちとも上役とも、おおむね仲良くやっているし、ストレスみたいなものも感じない。もちろんときとして愉快とは言えないことが持ち上がったりもするが、なにしろ狭い場所で人々が毎日顔をつきあわせているわけだから、それくらいはまあ仕方ないところだろう。

しかし、なんて面白みのない人生なんだろう――みずきは自らの人生の過去と現在について質問されるままに語りながら、あらためて感心してしまうことになる。考えてみれば、彼女の人生にはドラマティックな要素がほとんど見あたらないのだ。映像にたとえて言うなら、眠りを誘うことを目的として制作された低予算の環境ビデオみたいなものだ。淡い色調の風景がただ淡々と、切れ目なく映し出されていく。場面転換もなく、クロースアップもない。盛り上がりもなく、落ち込みもなく、人目を惹《ひ》くエピソードのようなものもない。予兆もなく、示唆《しさ》もない。ときどき思い出したようにカメラのアングルがわずかに変化するだけだ。仕事とはいえ、こんな身の上話にまともに耳を傾けていて、この人は退屈しないのだろうかと、カウンセラーに対する同情心が湧《わ》いてきたくらいだった。ついあくびが出たりすることはないのだろうか？　毎日こんな話を他人からえんえんと聞かされていたら、私だったらおそらくどこかの時点で退屈死にしてしまうに違いない。

しかし坂木哲子は熱心にみずきの話に耳を傾け、ボールペンで簡潔なメモをとっていた。ところどころで必要に応じて追加的な質問をしたが、それ以外にはなるべく発言を控え、みずきの話を聞きとる作業に意識を集中しているようだった。それでも口を開くとき、彼女の穏やかな声には、深い本物の関心が感じ取れた。退屈の色はまったくうかがえない。そしてその特徴的な間延びした声を聞いているだけで、みずきは不思議に落ち着いた気持ちになることができた。考えてみればこれまで、私の話にこれくらい真剣に耳を傾けてくれた人はほかにいなかったような気がする。一時間を少し超える面談が終了したとき、背中にのしかかっていたものがいくらか軽減されたという実感があった。

「それで安藤さん、来週の水曜日もまた同じ時間に来られるかしら?」、坂木哲子はにこにこしながらそう尋ねた。

「ええ、来ることは来られますが」とみずきは言った。「また来てもかまわないんですか?」

「もちろんよ。あなたさえいやじゃなかったらね。こういうことって、ほら、何度も何度もお話しをしなきゃ、なかなか前には進んでいかないものなの。そのへんのラジオの人生相談番組じゃないんだから、適当な回答を出して『はい、これでおしまい。あとはがんばってくださいね』ってなわけにはいかないのよ。時間はかかるかもしれないけれど、まあお互い品川区民として、ゆっくりやりましょうよ」

「それでね、名前に関連して思い出せる出来事って、あなたには何かないかしら？」と坂木哲子は二回目の面談の最初に質問した。「自分の名前でも、ほかの人の名前でも、飼っていた動物の名前でも、行ったことのある土地の名前でも、あだ名でも、名前に関することならなんでもいいの。もし何か名前がらみで記憶に残っていることがあったら、ちょっと教えてくれる？」

「名前に関すること？」

「そう。名前、ネーミング、署名、点呼……たいしたことじゃなくたってかまわないの。名前が関わっていることなら、どんな細かいことでもいいのよ。ちょっと思い出してみて」

みずきは長いあいだ考えていた。

「名前に関連してとくべつよく覚えている、というようなことはありません」と彼女は言った。「少なくとも今、急には頭に浮かんできません。ただ……そうですね、名札についてひとつ覚えていることがあります」

「いいわよ、それで。名札について」

「でもそれは私の名札ではないんです」とみずきは言った。「ほかの人の名札のことです」

「かまいませんよ。そのことを話して」とカウンセラーは言った。

「先週もお話ししたように、中学から高校にかけて、一貫教育の私立女子校にいました」とみずきは言った。「学校は横浜にあり、私の実家は名古屋でしたから、学内にある寮に入っていました。毎週、週末になると実家に帰りました。金曜日の夜に新幹線に乗って帰省し、日曜日の夜に寮に戻ります。横浜から名古屋までは二時間もあれば行けますし、とくに寂しいという気持ちは持ちませんでした」

カウンセラーはうなずいた。「でも、名古屋にだって良い私立女子学校はたくさんあるわよね。違う？ なのにどうして、わざわざ親元を離れて横浜の学校に入ることになったのかしら？」

「そこが母の母校だったんです。彼女はその学校のことがとても好きで、娘の一人はそこに入れたいと希望していました。それに私にも、両親とはべつに暮らしてみたいという気持ちがいくらかありました。ミッション系でしたが、わりにリベラルな校風の学校でしたし、そこで親しい友だちも何人かできました。みんな地方から来ている子たちです。私の場合と同じように、やはり母親が卒業生だという人がたくさんいました。おおむね楽しく六年間をそこで過ごすことができたと思います。毎日の食事にはちょっと苦労しましたが」

カウンセラーは微笑んだ。「たしかお姉さんが一人いたって言ってたわよね？」

「はい、二歳上です。二人姉妹です」

「お姉さんはその横浜の学校には行かなかったの？」

「姉は地元の学校に行きました。そのあいだもちろん、ずっと親元にいました。姉は積極的に外に出て行くというタイプじゃないんです。体も小さい頃からちょっと弱かったし……。だから母としては妹の私に、その学校に入ってもらいたかったんです。私は基本的に健康でしたし、自立心も姉よりは強い方でしたから。それで小学校を出るときに、横浜の学校に行く気はないかときかれて、行ってもいいよと私は答えました。週末ごとに新幹線でうちに帰って来るというのも、そのときはなんとなく楽しそうに思えたし」

「口をはさんでごめんなさいね」、カウンセラーはそう言って微笑んだ。「どうぞ話

を続けて

「寮は原則的に二人部屋ですが、高等部の三年生になると、一年間だけ特権として一人部屋がもらえます。その出来事があったのは、私が一人部屋にいるときのことでした。私は最上級生でしたので、そのとき寮生代表のような役についていました。寮の玄関には名札をかけておくボードがあり、私たち寮生は一人ひとり自分の名札をもっています。名札の表には黒い字で、裏は赤い字で、自分の名前が書いてあります。外出するときには必ずその名札を裏返します。帰ってきたらもとに戻します。つまり名札の黒い字で書かれた面が出ていればその人は寮にいるし、赤い字で書かれた面が出ていれば外出しているということになります。そして外泊したり、休暇で長期的に留守にするときなんかは、その名札をはずしておきます。玄関の受付は寮生が交代で当番を務めるのですが、外から電話がかかってきたときなんか、名札を見ればその人が寮の中に今いるかいないか一目でわかるので、なかなか便利なシステムです」

カウンセラーは励ますように小さく相づちを打った。

「十月のことです。夕食前に私が部屋で翌日の予習をしていると、松中優子という二年生の子が訪ねてきました。みんなにはユッコと呼ばれていました。私たちの寮の中では間違いなくいちばん美人でした。色白で、髪が長く、目鼻立ちはまるでお人形みたいでした。親はたしか金沢で老舗《しにせ》旅館の経営をしていました。お金持ちです。一学年下だったので、詳しいことは知りませんが、成績もかなり上の方だったと聞いています。つまりすごく目立つ子だったんです。彼女に憧《あこが》れている下級生の女の子たちもたくさんいました。でもユッコにはつんつんしたり、気取っているようなところはまったくありません。どちらかというとおとなしくて、自分の気持ちを外に出すタイプではありません。感じはいいのですが、何を考えているのかよくわからないという印象を受けることがときどきありました。憧れられはしても、本当に親しい友だちというのはいなかったんじゃないかと思います」

自室でラジオの音楽を聴きながら机に向かっていると、ドアが小さくノックされた。開けてみるとそこに松中優子が一人で立っていた。ぴったりとした薄手のタートルネックのセーターにジーンズというかっこうだった。できたら少しお話しをしたいのですが、今はお邪魔ではありませんか、と彼女は尋ねた。みずきはかなりびっくりしたが、「いいよ」と答えた。「たいしたことはしてないから、べつにかまわないよ」。みずきはそれまで松中優子と二人きりで、膝《ひざ》をつき合わせて話をしたことはなかったし、彼女が個人的な話をするために自分の部屋を訪れるなんて、まったく予想もしなかったことだった。彼女は椅子《いす》を勧め、魔法瓶のお湯でティーバッグの紅茶をいれた。

「みずきさんはこれまで、嫉妬《しっと》の感情というものを経験したことがありますか？」と松中優子は前置き抜きで質問した。

突然そんな質問をされてみずきはますます驚いたが、そのことについてあらためて考えてみた。

「ないと思うよ」とみずきは言った。

「一度も？」

みずきは首を振った。「少なくとも、今急にそう言われても、うまく思い出せないなあ。嫉妬の感情……、たとえばどんなことで？」

「たとえばみずきさんが本当に好きな人が、みずきさんではない別の誰かのことを好きになったとか、たとえばみずきさんがどうしても手に入れたいと思っているものを、誰か別の人が簡単に手に入れてしまったとか、たとえばみずきさんが『こんなことができればいいのに』と願っていることを、ほかの誰かが軽々となんの苦労もなくやってのけるとか……そういうようなことで」

「そういうことって、私にはなかったような気がする」とみずきは言った。「ユッコにはそういうことがあるの？」

「いっぱいあります」

それを聞いてみずきは言葉を失ってしまった。この子はいったい、これ以上の何を望んでいるのだろう？　とびっきりの美人で、おうちは金持ちで、成績もよくて、人気もある。両親は彼女を溺愛《できあい》している。週末にときどき、ハンサムな大学生のボーイフレンドとデートをしているという話を耳にしたこともある。人がそれ以上の何を望めばいいのか、みずきには思いつけなかった。

「それは、たとえばどんなことで？」とみずきは尋ねてみた。

「あまり具体的に話したくはないんです。できれば」と松中優子は慎重に言葉を選びながら言った。「それに具体的なことをここでいちいち並べてみても、あまり意味はないような気がします。ただ私としては、みずきさんに以前から一度うかがいたいと思っていたんです。嫉妬の感情みたいなものを体験したことがあるかどうか」

「私に前からそれを尋ねたいと思っていたわけ?」

「そうです」

みずきにはさっぱりわけがわからなかったが、とりあえず質問に対して正直に答えることにした。「その手の体験って、私にはたぶんなかったと思うな」と彼女は言った。「理由はよくわからないんだけど、でも変と言えば変かもしれないわね。だって私の場合、べつに自分に自信があるってわけじゃないし、ほしいものがなんでも手に入っているってわけでもないし、むしろあちこち不満だらけみたいなものなんだけど、でもだからほかの誰かをうらやましいと思うかっていうと、そういうことはとくになかったみたい。どうしてだろう?」

松中優子は小さな微笑《ほほえ》みのようなものを口元に浮かべた。「嫉妬の気持ちというのは、現実的な、客観的な条件みたいなものとはあまり関係ないんじゃないかという気がするんです。つまり恵まれているから誰かに嫉妬しないとか、恵まれていないから嫉妬するとか、そういうことでもないんです。それは肉体における腫瘍《しゅよう》みたいに、私たちの知らないところで勝手に生まれて、理屈なんかは抜きで、おかまいなくどんどん広がっていきます。わかっていても押し止《とど》めようがないんです。幸福な人に腫瘍が生まれないとか、不幸な人には腫瘍が生まれやすいとか、そういうことってありませんよね。それと同じです」

みずきは黙って話を聞いていた。松中優子がそんなに長いセンテンスを口にするのはとても珍しいことだった。

「嫉妬の感情を経験したことのない人に、それを説明するのはとてもむずかしいんです。ただひとつ言えるのは、そういう心とともに日々を送るのは、まったく楽ではないっていうことです。それは実際のところ、小さな地獄を抱え込んでいるようなものです。みずきさんにもしそういう気持ちを持った経験がないのだとしたら、それは感謝すべきことだと思います」

それだけを言ってしまうと、松中優子は口を閉ざし、微笑みに似た表情を浮かべたまま、みずきの顔をまっすぐ見た。ほんとにきれいな子だ、とみずきはあらためて思った。スタイルもいいし、胸のかたちも素晴らしい。こんなふうにどこをとっても人目を惹く美人に生まれつくというのは、いったいどんな気持ちがするものなのだろう。私には想像もつかない。ただ単に誇らしく楽しいものなのだろうか。それともそれなりに気苦労の多いものなのだろうか。

でも不思議なことに、みずきが松中優子をうらやましいと思ったことは一度としてなかった。

「今から実家に戻ります」と松中優子は膝の上に置いた自分の手を見つめながら言った。「親戚《しんせき》に不幸がありまして、葬儀に出席しなくてはならないんです。さっき先生に許可もいただきました。月曜日の朝までには戻れるはずです。そのあいだ、できればみずきさんに私の名札を預かっておいていただけないかと思いまして」

彼女はそう言って、ポケットから自分の名札を取り出し、みずきに差し出した。みずきにはよくわからなかった。

「預かるのはちっともかまわないんだけど」とみずきは言った。「どうして私にわざわざ名札を預けるの？　自分の机の引き出しに入れておくか何かすれば、それでいいじゃない」

松中優子は前よりも深いまなざしでみずきの顔を見た。そんなふうに見られると、みずきは落ち着かない気持ちになった。

「今回はできることなら、みずきさんに名札を預けておきたいんです」と松中優子はきっぱりとした口調で言った。「ちょっと気になることがあって、部屋の中に残していきたくなくて」

「いいわよ」とみずきは言った。

「いないあいだに猿にとられたりしないように」と松中優子は言った。

「この部屋にはたぶん猿はいないと思う」とみずきは明るく言った。冗談を口にするのも、松中優子らしくないことだった。そして彼女は部屋を出て行った。名札と、手をつけていないティーカップと、奇妙な空白をあとに残して。

「月曜日になっても松中優子は寮に戻ってきませんでした」とみずきはカウンセラーに言った。「担任の先生が心配して実家に問い合わせてみると、彼女が実家に戻っていないことがわかりました。親戚は誰も亡くなっていないし、もちろん葬儀もありませんでした。彼女は嘘《うそ》をついて、どこかに消えてしまったんです。遺体がみつかったのは翌週の週末で、私は日曜日の夜に名古屋の実家から寮に戻ってきて、そのことを知らされました。自殺でした。どこかの森の奥で剃刀《かみそり》で手首を切って、血だらけになって死んでいたということです。何が理由で自殺をしたのか、誰にもわかりませんでした。遺書らしきものも見つかりませんでしたし、思い当たる動機もまったくありませんでした。ルームメートの女の子も、松中優子には普段と違うところはなかったと言いました。思い悩んでいるような様子もなかった、まったくいつもどおりだった、ということです。彼女はただ黙って死んでしまったんです」

「でも松中さんは、少なくともあなたには、何かを伝えようとしていたんじゃないかしら？」とカウンセラーは言った。「だからこそ最後にあなたの部屋にやって来て、名札を預けていった。そして嫉妬について語った」

「ええ、そうですね。松中優子は私に嫉妬の話をしました。あとになって考えてみると、彼女はその嫉妬の話を、死ぬ前に誰かにしておきたかったんじゃないかと思います。そのときはそんなに大事な話だとも思えなかったんだけれど」

「あなたは松中優子さんが、亡くなる前にあなたの部屋に来たことを、誰かに話しました？」

「いいえ。誰にも話していません」

「どうして？」

みずきは首をひねった。「そんなことを私が言い出しても、みんなはただ混乱するだけだろうって思ったからです。誰にも理解されないだろうし、何の助けにもならないだろうって」

「彼女の抱えこんでいた深い嫉妬の感情が、自殺の原因であったかもしれないということが？」

「ええ。そんなことを口にしたら、きっと私が変に思われるだけです。だいたい松中優子みたいな人が誰に嫉妬しなくてはならないんですか？　そのときはみんな混乱して、ずいぶん気が高ぶっていましたし、ここはじっと口を閉ざしているのがいちばんだと思いました。女子校の寮の雰囲気って、だいたいおわかりになるでしょう？　私がそんなことを言い出すのは、充満したガスの中でマッチを擦るようなものです」

「その名札はどうしました？」

「まだ私が持っています。押入の奥に、箱に入れてしまってあるはずです。私の名札と一緒に」

「どうしてその名札を、あなたがそのまま預かり続けることになったの？」

「そのときは学校全体がすごく混乱していて、なんとなく返しそびれてしまったんです。そして時間がたてばたつほど、なにごともなかったみたいに名札を戻すのは、むずかしいことになってしまいました。かといってどこかに捨ててしまうわけにもいきません。それに、松中優子は私にその名札を、ずっと持っていてもらいたかったのかもしれないとも思いました。だからこそ死ぬ前にわざわざ私のところに来て、それを預けていったんじゃないかと。どうしてその相手が私だったのか、理由はよくわかりませんが」

「でも不思議よね。あなたとその松中優子さんとは、そんなに親しいというわけでもなかったんでしょう？」

「もちろん狭い寮に一緒に暮らしていますから、お互いに顔は見知っていますし、あいさつをしたり、ちょっとした言葉を交わすくらいのことはありました。でも学年も違いますし、個人的な話をしたことは一度もありませんでした。ただ私が寮生の代表のようなことをしていたから、それで私のところに来たんじゃないでしょうか」とみずきは言った。「それ以外の理由が考えられないから」

「あるいは松中優子さんは何らかの理由で、あなたに興味を持っていたのかもしれないわね。心を惹《ひ》かれていたのかもしれない。あるいはあなたの中に何かを見ていたのかもしれない」

「私にはそれはわかりません」とみずきは言った。

坂木哲子は何も言わず、何かを見きわめるようにしばらくみずきの顔を見ていた。そして言った。

「だけど、それはそれとして、あなたはほんとうに嫉妬の感情というものを経験したことはないの？　生まれてから一度も？」

みずきは少し間を置いた。そして答えた。「ないと思います。たぶん一度も」

「ということは、嫉妬の感情というのがどういうものなのか、あなたには理解できないということなのかしら？」

「おおまかなところは理解できていると思います――つまり成り立ちのようなものについては。ただ実感として、よくわからないということです。それが実際にどれくらい強いもので、どれくらい長く続いて、どういう風につらくて苦しいものなのか、というようなことが」

「そうね」とカウンセラーは言った。「ひとくちに嫉妬といっても、いろんな段階があるのよ。人間のすべての感情がそうであるようにね。軽いものは一般的にやきもちとか、やっかみとか呼ばれている。それは多少の差こそあれ、たいていの人が日常的に経験するもの。たとえば会社の同僚が自分より先に役付きになったとか、クラスの誰かが先生にひいきにされているとか、あるいは近所の人が高額の宝くじにあたったとか……それがただうらやましい。そんなの不公平じゃないかと、ちょっと腹が立つ。それはまあ人間の心理として、自然といえば自然なことなのよ。あなたにはそういうことすらなかったのかしら？　誰かをうらやましいと思ったことってなかったの？」

みずきは考えてみた。「私にはそういうことは、一度もなかったような気がします。もちろん私より恵まれた人はたくさんいました。でもだからといって、そういう人たちのことをとくにうらやましいとは思いませんでした、人はみんなそれぞれに違うわけだから……」

「人はみんなそれぞれに違うから、そんな簡単に比べられないってこと？」

「たぶん、そういうことだと思います」

「ふうん。面白いわねえ」とカウンセラーは両手の指を机の上で組みあわせながら、リラックスした声でいかにも面白そうに言った。「まあ、とにかくそれが軽度の嫉妬。つまり、やきもちっていうやつね。でも重度のものになると、そんな簡単な話じゃ済まなくなってくる。それは寄生虫みたいに人の心にどっしりと居座ってしまうの。そしてある場合には——あなたのそのお友達が言ったように——腫瘍のようになって魂を深くむしばんでいく。そして人を死に至らしめることさえある。それは抑制がきかないから、本人にとってはものすごくつらいことなのよ」

みずきは家に帰ると、押入の奥からガムテープで封をした段ボール箱をひっぱり出した。松中優子の名札はみずき自身の名札と一緒に封筒に入れられて、そこにあるはずだった。箱の中には小学校時代からの古い手紙や、日記や、写真アルバムや、成績表や、そのほか様々な記念品がでたらめに詰め込まれている。いつかきちんと整理しなくてはと思いつつ、忙しさにまぎれて、引っ越しから引っ越しへとそのまま持ち歩いてきた箱だ。しかし名札を入れた封筒はどうしても見つからなかった。箱の中にあるものを全部外に出して、細かく点検してみたのだが、封筒はどこにもない。みずきは途方に暮れた。彼女はこのマンションに引っ越してくるときに、箱の中をざっとチェックして、その名札を入れた封筒を目にしていた。そして「ああ、まだこんなものを持っていたんだ」と感慨深く思ったのだ。それから誰にも見られないように封をして、以来この箱を開けたのは初めてのことだ。だからその封筒はここになくてはならないのだ。疑いの余地なく。いったいどこに消えてしまったんだろう？

それでも区役所の「心の悩み相談室」に行って、週に一度坂木というカウンセラーと会って話をするようになってから、名前忘れのことがそれほど気にならなくなってきた。名前忘れは前と同じくらいの頻度で起こり続けていたが、症状の進行はいちおう止まっていたし、自分の名前以外のものごとが記憶から滑り落ちることもなかった。そしてブレスレットのおかげで、今のところとくに気まずい思いもせずに済んでいる。ときどき、自分の名前を忘れることが生活の自然な一部のように思えることさえあった。

みずきは自分がカウンセリングに通っていることは夫には黙っていた。とくに隠すつもりはないのだが、いちいち説明することを考えると、面倒が先に立った。夫はおそらく詳細な説明を求めるに違いない。それに自分の名前を思い出せなかったり、週に一度区役所の主催するカウンセリングに通っていることで、夫に何か具体的に迷惑をかけているわけではないのだ。料金だってとるに足らない程度のものだ。また彼女は松中優子と自分の寮時代の名札が、どれだけ捜してもあるべきところに見つからないことを、坂木というカウンセラーには話さなかった。それがとくに面談において意味のあることだとも思わなかったからだ。

そのようにして二ヶ月が過ぎた。彼女は毎週水曜日、品川区役所の三階に行って面談をおこなった。相談に来る人もそれなりに増えてきたらしく、面談時間は特別扱いの一時間から所定の三十分に縮められたが、その頃には二人の話し合いは既に軌道に乗っていたので、短く要領よく話をまとめられるようになっていた。もう少し長く話したいと思うことはあったが、なにしろむやみに安い料金なのだ。贅沢《ぜいたく》は言えない。

「これであなたとは九回目の面談になるんだけど……」、坂木カウンセラーは面談の終了五分前になったときにそうみずきに尋ねた。「名前忘れの回数は減っていないにしても、今のところ増えてはいないわよね？」

「増えてはいません」とみずきは答えた。「現状維持というあたりじゃないかと思います」

「上出来、上出来」とカウンセラーは言った。そして手にしていた黒い軸のボールペンを上着のポケットに戻し、机の上で両手の指をしっかりと組んだ。それからやや間を置いて言った。「ひょっとしたら——あくまでひょっとしたらだけど、来週ここに来てくれたら、私たちの話し合ってきた問題に関して、何か大きな進展が見られるかもしれないわよ」

「この名前忘れのことに関してですか？」

「そう。うまくいけばその原因を具体的に特定して、それを実際にあなたに見せてあげられるかもしれない」

「どうして名前忘れが起こるかという、その原因をですか？」

「そのとおりよ」

みずきには相手の言っていることがうまく理解できなかった。「具体的な原因と言いますと、それはつまり……目に見えることなのですか？」

「もちろん目に見えるものよ、もちろん」、カウンセラーはそう言って、満足そうに両手をこすりあわせた。「それをお皿に載せて、はいどうぞって見せてあげられるかもしれない。でも詳しいことは残念ながら、来週になるまでは教えてあげられない。本当にうまく行くかどうかも、今の段階ではまだはっきりとはわからないしね。たぶんうまく行くんじゃないかなって期待しているだけ。もしうまく行ったら、そのときにきちんと説明してあげるから」

みずきは肯《うなず》いた。

「いずれにせよ、私があなたに言いたいのは」と坂木カウンセラーは言った。「行きつ戻りつではあるけれど、ものごとは着実に解決の方向に進んでいるってことなの。ほら、よく言うじゃない、人生は三歩進んで二歩下がるって。心配することないわよ。大丈夫だから、坂木のおばさんの言うことを信用しなさい。だからまた来週ね。受付に予約を入れておくのを忘れないようにね」

カウンセラーはそう言ってウィンクをした。

翌週、午後の一時にみずきが「心の悩み相談室」に行くと、坂木哲子はいつも以上に大きな微笑《ほほえ》みを顔に浮かべながら、机の前に座って彼女を待っていた。

「私はあなたの名前忘れの原因をみつけたと思うわ」と彼女は誇らしげに言った。

「そしてそれを解決できたと思う」

「それは、もう私は自分の名前を忘れたりしなくなるってことなのでしょうか？」とみずきは尋ねた。

「そのとおり。あなたはもう自分の名前を忘れたりはしない。原因は解明され、それは正しく処理されたのだから」

「いったい何が原因だったのでしょうか？」と半信半疑でみずきは尋ねた。

坂木哲子は傍らに置いてあった黒いエナメルのハンドバッグの中から何かを取りだして、机の上に並べた。

「これはあなたのものだと思うけれど」

みずきはソファから立ち上がって、その机の前に行った。机の上に置いてあるのは二枚の名札だった。一枚には「大沢みずき」と書いてあり、もう一枚には「松中優子」と書いてあった。みずきの顔から血の気が引いた。彼女はソファに戻って、そこに沈み込んだ。しばらくのあいだ口をきくことができなかった。彼女は両手の手のひらで口をじっと押さえていた。まるでそこから言葉がこぼれ落ちてくるのを阻止するみたいなかっこうで。

「驚くのも無理はないと思うけど」と坂木哲子は言った。「でもゆっくり説明してあげるから、大丈夫。安心して。何も怖がることはないから」

「でもどうして――」とみずきは言った。

「どうしてあなたの寮時代の名札が私の手元にあるのか？」

「そうです。私には――」

「理解できないのね？」

みずきは頷《うなず》いた。

「私があなたのために取り戻してあげたのよ」と坂木哲子は言った。「その名札を盗まれたことによって、あなたは自分の名前を思い出せなくなってしまっていたのだから。だからあなたが自分の名前を取り戻すには、この二枚の名札を回収することがどうしても必要だったわけ」

「でもいったい誰が――」

「どこの誰が、あなたの家からこの二枚の名札を盗み出したりしたのか？　いったい何を目的として？」と坂木哲子は言った。「それについては、私がここであなたに口で説明するよりも、盗み出した犯人に直接問いただしてみるのがいちばんいいような気がするの」

「犯人がここにいるのですか？」とみずきは呆然《ぼうぜん》とした声で言った。

「ええ、もちろん。つかまえて、名札を取り上げたの。もちろん私が自分でつかまえるわけにはいかないから、うちの夫とその部下の人たちにつかまえてもらったのよ。ほら、うちの夫はこの品川区役所で土木課長をしているって言ったでしょう？」

みずきはわけがわからないまま頷いた。

「さあ、いらっしゃい。その犯人に今から会いに行きましょう。こうなったら、面と向かってひどくとっちめてやらなくちゃね」

みずきは坂木哲子に導かれるままに、面談にあてられている部屋を出て、廊下を歩き、エレベーターに乗った。そして地下に降りた。地下の人気のない長い廊下を歩き、いちばん奥にある部屋のドアの前に立って、坂木哲子はドアをノックした。「どうぞ」という男の声がして、坂木哲子はドアを開けた。

中には背の高いやせた五十歳前後の男と、大柄な二十代半ばの男がいた。どちらも淡いコーヒー色の作業着を着ていた。中年の男は「坂木」という名札を胸につけ、若い方の男は「桜田」という名札をつけていた。桜田は手に黒い警棒を持っていた。

「安藤みずきさんですね？」と坂木という男が言った。「私は坂木哲子の夫です。坂木義郎と申します。ここ品川区役所の土木課長をしております。こっちは桜田くん。うちの課のものです」

「よろしく」とみずきは言った。

「どう、おとなしくしている？」と坂木哲子が夫に尋ねた。

「ああ、すっかり観念しておとなしくなったね」と坂木義郎は言った。「桜田くんが朝からここでずっと見張っていたんだが、これといって迷惑をかけるようなこともなかったらしい」

「はい。おとなしいものです」と桜田はいくぶん残念そうに言った。「暴れたりしたら、ひとつ思い知らせてやろうと思っていたんですが、そういうこともありませんでした」

「桜田くんは学生時代、明治大学で空手部の主将をしておりましてね、前途有為の青年です」と坂木課長が言った。

「それで――いったい誰が、なんのために、私のところから名札なんかを盗み出したのでしょう?」とみずきは訊《き》いた。

「じゃあ、実際に犯人と対面させてあげましょうね」と坂木哲子は言った。

部屋の奥に、もうひとつのドアがあり、桜田はそのドアを開けた。そして壁のスイッチを入れて、明かりをつけた。部屋の中をぐるりと点検し、一同に向かって頷いた。「問題ありません。どうぞ、お入り下さい」

まず坂木課長が中に入り、それから坂木哲子が中に入り、最後にみずきが中に入った。小さな倉庫のような部屋だった。家具はない。ただ小さな椅子《いす》がひとつあり、その椅子に猿が一匹座っていた。猿としてはかなり大柄な方だろう。成人した人間よりは小さいが、小学生よりは大きい。毛は普通の日本猿よりも心持ち長く、ところどころに灰色の毛が混じっていた。年はわからないが、もう若くはなさそうだ。猿は前肢《まえあし》と後肢を、木製の椅子に細い紐《ひも》で厳重に縛り付けられていた。長い尻尾《しっぽ》の先が力無く床に垂れていた。みずきが部屋に入ると、猿はちらりと彼女を見て、それから視線を足元に落とした。

「猿?」とみずきは言った。

「そのとおりよ」と坂木哲子が言った。「猿があなたのところから名札を盗んでいったのよ」

いないあいだに猿にとられたりしないように、と松中優子は言った。あれは冗談じゃなかったんだ、とみずきは思った。松中優子にはこのことがわかっていたんだ。みずきの背筋が寒くなった。

「でもどうしてそのことが――」

「どうしてそのことが私にわかったのか？」と坂木哲子は言った。「それは私がプロだからよ。最初にも言ったでしょう？　私にはちゃんと資格もあるし、豊富な経験もあるって。人は見かけによらないの。区役所で安い料金で奉仕活動みたいなことをやっているからって、カウンセラーとしての能力が、立派なオフィスを構えた人たちより劣っているわけじゃないのよ」

「もちろん、それはよくわかっています。ただ私はあまりにもびっくりしてしまって、それで――」

「いいのよ、いいのよ。冗談で言っているんだから」と坂木哲子は言って、笑った。「正直に言ってね、私はカウンセラーとしてはかなり異色な存在なの。だから組織

や学界みたいなところとはウマがあわないわけ。こういうところで好きにやってい
る方が性に合ってるの。私のやり方は、ごらんのとおりかなり特殊だから」
「しかしきわめて有能です」と夫の坂木義郎が真顔で口を添えた。
「で、その猿が名札を盗んだんですね？」とみずきは言った。
「そう。あなたのマンションにこっそりと忍び込んで、押入の箱の中から名札を盗
み出したのよ。それが一年くらい前。ちょうどあなたの名前忘れが始まったのもそ
の頃でしょう？」
「そうです。たしかにちょうどその頃です」
「申し訳ありません」と猿が初めて口を開いた。張りのある低い声だった。そこに
はある種の音楽性を聴き取ることさえできた。
「言葉がしゃべれるんだ」とみずきは唖然《あぜん》として言った。
「はい、しゃべれます」と猿は表情をほとんど変えることなく言った。「ほかにも
お詫《わ》びしておかなくてはならないことがあります。おたくに名札を盗みに入ったと
きに、バナナを二本いただいてしまいました。名札のほかには何もとらないつもり
だったんですが、どうしてもお腹《なか》がすいておりまして、いけないことだとは思いな

がら、テーブルの上に置いてあったバナナを二本、つい手にとって食べてしまいました。とてもおいしそうに見えたものですから」

「太いやつだ」と桜田が言って、黒い警棒を手のひらにとんとんとうちつけた。

「もっとほかに何かとったかもしれません。少し締め上げてやりますか」

「まあまあ」と坂木課長がとめた。「バナナのことは正直に自分から打ち明けているわけだし、見たところそれほど凶悪な猿でもなさそうだ。事情がもう少しはっきりするまで手荒なことは控えよう。区役所の中で動物に暴力をふるったことがわかったりしたら、いささかまずいことになるかもしれんしね」

「なぜ名札をとったりしたの？」とみずきは猿に尋ねてみた。

「わたしは名前をとる猿なのです」と猿は言った。「それがわたしの病です。名前があれば、とらずにはいられません。もちろん誰の名前でもいいというわけではありません。わたしが心を惹《ひ》かれる名前があります。とりわけ心を惹かれる人の名前があります。そういう名前があると、それを手に入れずにはいられないのです。わたしは家に忍び込んで、そのような名前を盗んでいきます。いけないとはわかっているのですが、自分ではそれをとめることができません」

「うちの寮から、松中優子の名札を盗もうとしていたのも、あなただったのね？」

「そのとおりです。わたしは身も世もなく松中さんに焦《こ》がれていました。猿として、あれほど心を惹かれたことはあとにも先にもありません。しかし松中さんを自分のものにすることはできません。なにしろわたしは猿ですから、それはかなわぬことです。ですからわたしはなんとしても、あの人の名前を手に入れようとしました。せめて名前だけでも手にしたかったのです。あの人の名前を手にしているだけで、わたしの心は限りなく満ち足りたことでしょう。それ以上の何を、猿ごときに望むことができるでしょう？　でもそれが果たせないまま、あの人は自らの命を絶ってしまいました」

「ひょっとして、松中優子が自殺をしたことに、あなたは関係しているのかしら？」

「いいえ」と猿は言って、激しく首を振った。「それは違います。あの人が自殺をしたのは私とはまったく関係のないことです。松中さんは抜き差しならぬ心の闇《やみ》のようなものを抱えていました。おそらく誰にも、あの人を救うことはできませんでした」

「でも、私のところに松中優子の名札があるってことが、どうして最近になってあなたにわかったの？」

「そこにたどり着くまでにはずいぶん時間がかかりました。松中さんが亡《な》くなったあと、わたしはすぐに名札を手に入れようと試みました。誰かが名札を持っていってしまう前に、なんとかそれを手に入れようと。しかし名札は既にどこかに消えてなくなっていました。それがどこに行ったのか、誰一人知りません。わたしは八方手を尽くしました。身を粉にしてあらゆるところを捜してみました。しかしどうしても名札の行方はわかりませんでした。松中優子さんがまさかあなたのところに名札を預けていったとは、そのときには思いもよらなかったのです。松中さんとあなたはとくに親交があったわけでもありませんでしたから」

「そうね」とみずきは言った。

「でも、ちょっとした閃《ひらめ》きのようなものがありまして、ひょっとして大沢みずきさんの手に松中さんの名札が渡ったのではあるまいかと、わたしは考え始めたのです。それが去年の春のことでした。大沢みずきさんが結婚なさって、名前を安藤みずきさんに変え、品川区のマンションにお住まいになっているということが判明するまでに、それからまたかなり時間がかかりました。そういう調査をするには、猿であるというのはなかなか不便なことなのです。でもとにかく、それであなたのお住まいに盗みに入ったような次第です」

「でもどうして、私の名札までついでに持っていったのかしら——松中優子の名札だけじゃなくて。それでずいぶん私は苦労したのよ。自分の名前がわからなくなってしまって」

「本当に申し訳ありません」と猿は恥ずかしそうに頭を垂れた。「心を惹かれる名前を目の前にすると、ついつい盗んでしまいたくなるのです。お恥ずかしい話ですが、大沢みずきさんの名札も、わたしのささやかな胸を強く揺さぶりました。前にも申し上げましたように、これは病です。自分でもその衝動を抑えることができないのです。いけないと思いながらも、ついふらっと手が伸びてしまうのです。ご迷惑をおかけしたことについては、心からお詫びします」

「このお猿は品川区の下水道の中に潜伏していたのよ」と坂木哲子は言った。「だからうちの夫に頼んで、ここの若い人たちに捕まえてもらったわけ。ほら、彼は土木課の課長だし、下水道は土木課の受け持ちのひとつだから、そういうことをするにはちょうど都合がよかったのよ」

「この猿を捕まえるにあたっては、ここにいる桜田くんがずいぶん活躍してくれました」と坂木課長が言った。

「区の下水道にこのような胡乱《うろん》なものが潜んでいるというのは、土木課としまして、何があっても看過できないことであります」と桜田は得意そうに言った。「どうやらこいつは高輪《たかなわ》あたりの地下に仮住まいをつくり、そこを本拠にして、下水道づたいに都内各所に移動をしていたようです」

「都会では、私たちが生きていく場所はありません。樹木も少なく、昼間は暗がりもうまくみつかりません。地上に出れば、みんながよってたかって私を捕まえようとします。子供がパチンコやBBガンで撃ってきますし、バンダナを巻いた大型犬がここを先途と追いかけてきます。樹木の上で休んでいますと、テレビ局のカメラがやってきてライトを当てます。心の安まるいとまがありません。そのようなわけで地下に潜らないわけにはいかないのです。許して下さい」と猿は言った。

「でもどうしてこの猿が下水道に潜伏しているって、あなたにわかったんですか？」とみずきは坂木哲子に質問した。

「二ヶ月のあいだあなたの話をじっと聞いているうちに、私にはいろんなことがだんだんクリアに見えてきたの。まるで靄《もや》が薄らいで行くみたいに」と坂木哲子は言った。「そこにはおそらく名前を盗むことを習慣にしている何かが介在しているはずだし、その何かはこのあたりの地下にまだ潜伏しているんじゃないかなって。そして都会の地下といえば、範囲は自然に限られてくるわね。地下鉄の構内だか、下水道だか、たぶんそういうところ。それで私はうちの夫にためしに頼んでみた。このあたりの下水道に何か人間ではないものが一匹住み着いていると思うんだけど、あなたちょっと調べてみてくれないって。そしたら、どんぴしゃ。このお猿が見つかった」

みずきはしばらくのあいだ言葉を失っていた。「しかし——私の話を聞いただけで、どうしてそんなことまでわかってしまうのかしら?」

「身内である私が、こんなことを申し上げるのもいかがかと思いますが、家内には普通の人にはない、何かしらとくべつな能力が備わっているのです」と夫である坂木課長は神妙な顔つきで言った。「結婚いたしましてかれこれ二十二年、私は幾度となくこういう不可思議なことを目にして参りました。ですからこそ、この区役所内に『心の悩み相談室』を開設するように、ずいぶん熱心に働きかけて参ったわけです。彼女の能力を発揮できる場所をこしらえてやれば、必ずや品川区民のお役に立つに違いないと確信しておったからです。しかしこの名前盗難事件がひとまず解決してよかった。本当によかった。私としてもこれで一安心です」

「ところで、このつかまえた猿はどうするんですか?」とみずきは尋ねた。

「生かしておいてもためにはならんでしょう」と桜田はあっさりと言った。「一度ついた悪癖はなかなかとれません。口で何と言おうと、必ずまたどこかで同じような悪さをするはずです。つぶしてしまいましょう。それが何よりです。濃縮した消毒液を血管に注射したら、こんな猿くらいあっという間に始末できます」

「まあまあ」と坂木課長は言った。「どのような理由であれ、動物を殺したことがわかると、必ずどこかから苦情が来て、大きな問題になるんだ。ほら、この前捕まえたからすをまとめて処分したときも、けっこうな騒ぎになったじゃないか。そういう摩擦はできれば避けたい」

「お願いします。わたしを殺さないで下さい」と猿も縛られたまま深く頭をさげて頼んだ。「わたしだって何も悪さをするだけではないのです。わたしのすることはたしかにいけないことです。それはよくよく承知しております。人さまにご迷惑もおかけしております。しかし、決して強弁するわけではありませんが、そこにはプラスの面もないわけではありません」

「人の名前を盗むことに、いったいどんなプラスの面があるんだ？　ひとつ説明してみろ」と坂木課長が強い口調で尋ねた。

「はい、申し上げます。わたしはたしかに人さまの名前を盗みます。しかしそれと同時に、名前に付帯しているネガティブな要素をも、いくぶん持ち去ることになるのです。これは手前味噌《みそ》かもしれません。しかしもしわたしが松中優子さんの名前を、あのときに盗み出すことに成功していたなら、あくまでひとつの小さな可能性としてですが、松中さんはあのように自らの命を絶たずに済んだかもしれないのです」

「それはどうして？」とみずきは尋ねた。

「もしわたしが松中優子さんの名前を盗むことに成功していたら、わたしはそれと一緒に、あの人の心に潜む闇のようなものをも、いくらか取り去っていたかもしれません。わたしはそれを名前ごと、地下の世界に帯同していくこともできたのではないかと思うのです」と猿は言った。

「なんだか都合のいい理屈だな」と桜田は言った。「そういうのは、額面通りには受け取れませんね。こいつ命がかかっているものだから、猿知恵を働かせて、必死に言い訳しているんですよ」

「そうでもないかもよ。このお猿の言うことにも、ひょっとして一理あるかもしれない」、坂木哲子は腕組みをしてしばらく考え込んでいたが、やがてそう言った。そして猿に向かって問いただした。「あなたは名前を盗むことによって、善きものと同時に、そこにある悪いものをも引き受けるっていうことなのね？」

「はい。そうです」と猿は言った。「選《え》り好みはできません。そこに悪《あ》しきものごとが含まれていれば、わたしたち猿はそれをも引き受けます。全部込みでそっくり引き受けるのです。お願いです。わたしを殺したりしないで下さい。わたしは悪癖をもったつまらない猿ですが、それはそれとして、みなさんのお役に立っているところもなくはないのです」

「じゃあ私の名前には、どんな悪しきものごとがあったのかしら？」とみずきは猿に尋ねた。

「わたしとしてはそのことは、ご本人の前で語りたくありません」と猿は言った。

「言ってちょうだい」とみずきは言った。「もしちゃんとそのことを教えてくれたら、あなたのことを許してあげます。許してもらえるように、ここにいるみなさんに頼んであげます」

「本当ですか？」

「もしそのことを正直に私に教えてくれたら、この猿を許してやってくださいますか」とみずきは坂木課長に言った。「それほど根性の悪い猿でもないようです。こうして痛い目にもあったことですし、よく言い聞かせて、高尾の山にでも連れていって放してやれば、もう悪いことはしないでしょう。いかがでしょう？」

「もしあなたがそれでかまわないというのであれば、私には異存はありません」と坂木課長は言った。そして猿に向かって声をかけた。「おい、お前、そうすればもう二十三区内には戻ってこないと誓うか？」

「はい、坂木課長。私はもう二十三区内には戻って参りません。これ以上みなさんにご迷惑をおかけすることはありません。下水道を徘徊《はいかい》したりもしません。私ももう若くはありませんし、これは生き方を変える良い機会かもしれません」、猿は神妙な顔をしてそう約束した。

「念のために、こいつだと一目で見分けがつくように、焼き印を尻《しり》に押しておきましょう」と桜田は言った。「品川区のマークをつけられる工事用の電気ごてが、どこかそのあたりにあったと思います」

「どうかそれだけは許して下さい」と猿は涙を流さんばかりに懇願した。「お尻に妙なしるしがついていたりしますと、警戒されて、猿の仲間にはなかなか迎えてもらえないのです。何でも包み隠さず正直に申し上げますので、焼き印だけはなにとぞご勘弁ねがいます」

「まあ、焼きごては許してやりなさい」と坂木課長がとりなして言った。「とくに区のマークが尻に押してあったりすると、あとあと責任問題になるかもしれないし」

「はい。課長がそうおっしゃるなら」と桜田は残念そうに言った。

「それで、私の名前にはどんな悪いことが付帯していたのかしら?」、みずきは猿の小さな赤い目をじっと見据えて尋ねた。

「わたしがそれを申し上げますと、みずきさんは傷つかれるかもしれませんが」

「かまわないから、言ってみて」

猿は困ったように少し考え込んだ。額のしわがいくらか深くなった。「でも、お聞きにならないでいる方がいいかもしれません」

「いいのよ。私は本当のことが知りたいの」

「わかりました」と猿は言った。「それではありていに申し上げます。あなたのお母さんは、あなたのことを愛してはいません。小さい頃から今にいたるまで、あなたを愛したことは一度もありません。どうしてかはわたしにもわかりません。でもそうなのです。お姉さんもそうです。お姉さんもあなたのことを好きではありません。お母さんがあなたを横浜の学校にやったのは、いわば厄介払いをしたかったからです。あなたのお母さんと、あなたのお姉さんは、あなたのことをできるだけ遠くに追いやってしまいたかったのです。あなたのお父さんはけっして悪い人ではないのですが、いかんせん性格が弱かった。だからあなたを護《まも》ることができませんでした。そんなわけであなたは小さい頃から、誰からもじゅうぶん愛されることがありませんでした。あなたにもそのことはうすうすわかっていたはずです。でもあなたはそのことを意図的にわかるまいとしていた。その事実から目をそらせ、それを心の奥の小さな暗闇《くらやみ》に押し込んで、蓋《ふた》をして、つらいことは考えないように、嫌なことは見ないようにして生きてきました。負の感情を押し殺して生きてきた。　そういう防御的な姿勢があなたという人間の一部になってしまっていた。そうですね？　でもそのせいで、あなたは誰かを真剣に、無条件で心から愛することができなくなってしまった」

みずきは黙っていた。

「あなたは現在のところ、問題のない、幸福な結婚生活を送っていらっしゃるように見えます。実際に幸福なのかもしれません。しかしあなたはご主人を深く愛してはおられない。そうですね？　もしお子さんが生まれても、このままでいけば、同じようなことが起こるかもしれません」

みずきは何も言わなかった。床にしゃがみこんで、目を閉じた。身体《からだ》ぜんたいがほどけていくような気がした。皮膚も内臓も骨も、いろんなものがばらけてしまいそうだった。自分が呼吸する音だけが、耳に届いた。

「猿の分際でとんでもないことを言うやつだ」と桜田が首を振って言った。「課長、私はもう我慢できません。こっぴどい目にあわせてやりましょう」

「待って」とみずきは言った。「本当にそのとおりなんです。このお猿さんの言うとおりです。そのことは私にもずっとわかっていました。でもそれを見ないようにして、今まで生きてきたんです。目をふさいで、耳をふさいで。お猿さんは正直に話をしているだけです。だから、許してあげて下さい。何も言わずに、このまま山に放してあげて下さい」

坂木哲子はみずきの肩にそっと手を置いた。「あなたはそれでいいのね？」

「はい、かまいません。私の名前が戻ってくれれば、それでいいんです。私はそこにあるものごとと一緒に、これからの人生を生きていきます。それは私の名前であり、私の人生ですから」

坂木哲子は夫に言った。「じゃあ、あなた、今度の週末にうちの車で高尾山までドライブをして、このお猿を適当なところで放してやりましょうよ。いいわよね？」

「もちろん、かまわないよ」と坂木課長は言った。「車を買い換えたばかりだし、慣らし運転にはちょうどいい距離だ」

「ありがとうございます。なんとお礼を申し上げればいいものか」と猿は言った。

「乗り物酔いなんかはしない？」と坂木哲子は猿に聞いた。

「はい。大丈夫です。新しいシートの上で吐いたり、用便をしたりというようなことは、決してありません。じっとおとなしくしております。みなさんにご迷惑はおかけしません」と猿は言った。

猿と別れるときに、みずきは松中優子の名札を猿に渡した。

「これは私が持っているより、あなたが持っていた方がいいと思うの」とみずきは猿に言った。「松中優子のことが好きだったんでしょう？」

「はい。わたしはあの方のことが好きでした」

「この名前を大事に持っていなさいね。そしてもうほかの人の名前を盗んだりしないように」

「はい。この名札は何よりも大事にいたします。そして盗みもきっぱりとやめます」と猿は生真面目《きまじめ》な目を向けて約束した。

「でもどうして松中優子は死ぬ前に、私にこの名札を預けたのかしら？　どうしてその相手は私だったのかしら？」

「それはわたしにもわかりません」と猿は言った。「しかし何はともあれ、そのおかげでわたしとみずきさんはこのように対面し、お話しをすることができたわけです。それはひとつの巡り合わせかもしれません」

「たしかにそのとおりね」とみずきは言った。

「わたしの申し上げたことは、みずきさんの心を傷つけましたでしょうか？」

「そうね」とみずきは言った。「傷つけたと思う。とても深く」

「申し訳ありませんでした。わたしも本当は申し上げたくなかったのです」

「いいのよ。私だってたぶん心の底ではわかっていたんだから。私はいつかはその事実と、正面から向き合わなくてはならなかったのよ」

「そう言っていただけると、わたしとしてもほっとします」と猿は言った。

「さよなら」とみずきは猿に言った。「もうたぶん会うこともないと思うけれど」

「みずきさんもお元気で」と猿は言った。「わたしごときものの命を助けていただいて、ありがとうございました」

「二度と品川区に戻ってくるんじゃないぞ」と桜田が警棒を手のひらにうちつけながら言った。「今日は課長のご配慮もあり、とくべつに勘弁してやるが、次にこのあたりで見かけたら、俺の一存できっと生きては帰さないからな」

それがただの脅しでないことは、猿にもよくわかったようだった。

「さて、来週はどうする？」と面談室に戻って、坂木哲子はみずきに尋ねた。「まだ私に相談したいことはあるかしら？」

みずきは首を振った。「いいえ、先生のおかげで問題はすっかり解決したと思います。いろいろとありがとうございました。とても感謝しています」

「さっきのお猿があなたについて言ったことについて、とくに私と話をする必要はないわね？」

「はい。そのことについては自分でなんとかやっていけると思います。それは、私が自分でまず考えなくちゃならないことだと思うんです」

坂木哲子は肯《うなず》いた。「そうね、あなたならやっていけると思う。あなたは決心さえすれば、きっと強くなれるはずだから」

みずきは言った。「でも、もしどうしようもなくなったら、またここに来てかまいませんか？」

「もちろん」と坂木哲子は言った。そして柔軟性のある顔を大きく横に広げ、にっこりと微笑《ほほえ》んだ。「そのときはまた二人で、何かをひっ捕まえましょう」

そして二人は握手をして別れた。

家に戻り、みずきは猿から返してもらった「大沢みずき」の古い名札と、「安藤(大沢)みずき」という名前が刻まれた銀のブレスレットを、茶色い事務封筒に入れて封をし、それを押入の段ボール箱に入れた。ようやく自分の名前が手もとに戻ってきたのだ。彼女はこれから再びその名前とともに生活していくことになる。ものごとはうまく運ぶかもしれないし、運ばないかもしれない。しかしとにかくそれがほかならぬ彼女の名前であり、ほかに名前はないのだ。

この作品は平成十七年九月、新潮社より刊行された。

村上春樹
安西水丸著

象工場のハッピーエンド

都会的なセンチメンタリズムに充ちた13の短編と、カラフルなイラストが奏でる素敵なハーモニー。語り下ろし対談も収録した新編集。

村上春樹
安西水丸著

村上朝日堂

ビールと豆腐と引越しが好きで、蟻ととかげと毛虫が嫌い。素晴らしき春樹ワールドに水丸画伯のクールなイラストを添えたコラム集。

村上春樹著

螢・納屋を焼く・その他の短編

もう戻っては来ないあの時の、まなざし、語らい、想い、そして痛み。静閑なリリシズムと奇妙なユーモア感覚が交錯する短編7作。

村上春樹著

谷崎潤一郎賞受賞

世界の終りとハードボイルド・ワンダーランド（上・下）

老博士が〈私〉の意識の核に組み込んだ、ある思考回路。そこに隠された秘密を巡って同時進行する、幻想世界と冒険活劇の二つの物語。

村上春樹
安西水丸著

村上朝日堂の逆襲

交通ストと床屋と教訓的な話が好きで、高いところと猫のいない生活とスーツが苦手。御存じのコンビが読者に贈る素敵なエッセイ。

村上春樹
安西水丸著

日出る国の工場

好奇心で選んだ七つの工場を、御存じ、春樹&水丸コンビが訪ねます。カラーイラストとエッセイでつづる、楽しい〈工場〉訪問記。

河合隼雄著
働きざかりの心理学

「働くこと＝生きること」働く人であれば誰しもが直面する人生の〝見えざる危機〟を心身両面から分析。繰り返し読みたい心のカルテ。

河合隼雄ほか著
こころの声を聴く
―河合隼雄対話集―

山田太一、安部公房、谷川俊太郎、白洲正子、沢村貞子、遠藤周作、多田富雄、富岡多恵子、村上春樹、毛利子来氏との著書をめぐる対話集。

河合隼雄著
こころの処方箋

「耐える」だけが精神力ではない、「理解ある親」をもつ子はたまらない――など、疲弊した心に、真の勇気を起こし秘策を生みだす55章。

河合隼雄著
猫だましい

心の専門家カワイ先生は実は猫が大好き。古今東西の猫本の中から、オススメにゃんこを選んで、お話しいただきました。

河合隼雄
吉本ばなな著
なるほどの対話

個性的な二人のホンネはとてつもなく面白く、ふかい！　対話の達人と言葉の名手が、自分のこと、若者のこと、仕事のことを語り尽す。

南直哉著
老師と少年

生きることが尊いのではない。生きることを引き受けるのが尊いのだ――老師と少年の問答で語られる、現代人必読の物語。

新潮文庫最新刊

伊坂幸太郎著
オー！ファーザー
一人息子に四人の父親⁉　軽快な会話、悪魔的な箴言、鮮やかな伏線。伊坂ワールド第一期を締め括る、面白さ四〇〇％の長篇小説。

有川浩著
キケン
様々な伝説や破壊的行為から、周囲から忌み畏れられていたサークル「キケン」。その伝説的黄金時代を描いた爆発的青春物語。

小野不由美著
丕《ひ》緒《しょ》の鳥
—十二国記—
書下ろし2編を含む12年ぶり待望の短編集！希望を信じ、己の役割を全うする覚悟を決めた名も無き男たちの生き様を描く4編を収録。

重松清著
星のかけら
六年生のユウキは不思議なお守り「星のかけら」を探しにいった夜、ある女の子に出会う。命について考え、成長していく少年の物語。

森見登美彦著
四畳半王国見聞録
その大学生は、まだ見ぬ恋人の実在を数式で証明しようと日夜苦闘していた。四畳半から生れた7つの妄想が京都を塗り替えてゆく。

神永学著
フラッシュ・ポイント
—天命探偵　真田省吾4—
東京に迫るテロ。運命を変えるべく奔走した真田は、しかし最愛の人を守れなかった——。正義とは何か。急展開のシリーズ第四弾！

東《とう》京《きよう》奇《き》譚《たん》集《しゆう》

新潮文庫　む－5－26

平成十九年十二月一日発行
平成二十五年六月二十日二十三刷

著者　村《むら》上《かみ》春《はる》樹《き》

発行者　佐藤隆信

発行所　株式会社新潮社

郵便番号　一六二－八七一一
東京都新宿区矢来町七一
電話 編集部(〇三)三二六六－五四四〇
　　 読者係(〇三)三二六六－五一一一
http://www.shinchosha.co.jp

価格はカバーに表示してあります。

乱丁・落丁本は、ご面倒ですが小社読者係宛ご送付ください。送料小社負担にてお取替えいたします。

印刷・大日本印刷株式会社　製本・加藤製本株式会社

ISBN978-4-10-100156-2 C0193